|g|r|a|f|i|t|

Krimis mit Martin Nettelbeck (alle auch als E-Books erhältlich):
Schneckenkönig. ISBN 978-3-89425-416-2
Kalter Hund. ISBN 978-3-89425-430-8
Frettchenland. ISBN 978-3-89425-457-5
Stumme Hechte. ISBN 978-3-89425-469-8

© 2016 by GRAFIT Verlag GmbH
Chemnitzer Str. 31, D-44139 Dortmund
Internet: http://www.grafit.de
E-Mail: info@grafit.de
Alle Rechte vorbehalten.
Druck und Bindearbeiten: CPI – Clausen & Bosse, Leck
ISBN 978-3-89425-469-8
1. 2. 3. / 2018 17 16

Rainer Wittkamp

Stumme Hechte

Kriminalroman

Rainer Wittkamp wurde in Münster/Westfalen geboren. Er führte bei diversen Fernsehserien Regie und betätigte sich als Producer, Dramaturg, Headwriter und Stoffentwickler für namhafte Produktionsfirmen. Seit Mitte der Neunzigerjahre schreibt er Drehbücher, seit 2013 auch Kriminalromane. Für *Kalter Hund* wurde er mit dem ›Krimiblitz‹, dem Publikumspreis der Besprechungsplattform ›www.krimi-couch.de‹ ausgezeichnet.

www.rainerwittkamp.de

In Erinnerung an den Lyriker

John Barton Epstein

12.01.1952–25.07.2007

Mich hat ein Räuber im Traum überfallen.
Ich litt entsetzliche Not.
Ich hörte eine Schusswaffe knallen.
Und wachte auf und war tot.

Frantz Wittkamp

1

Wenn man stirbt, so heißt es, zieht noch einmal das ganze Leben an einem vorbei. Gut möglich, dass das so ist. Vorausgesetzt, man liegt in einem kuschelig warmen Sterbebett, hat die lieben Angehörigen um sich herum versammelt, deren tieftraurige Gesichter einen bekümmert anblicken, und die leidende Ehefrau hält einem die schweißnasse Hand. Dann mag es durchaus so sein, dass noch einmal sämtliche Siege, Erfolge, Triumphe und Glücksmomente im Schnelldurchlauf an einem vorbeirauschen. Aber natürlich auch die ganzen Fehlschläge, Pleiten, Waterloos und Bruchlandungen.

Doch mit einem viertel Liter Averna und anderthalb Flaschen Châteauneuf-du-Pape im Leib, die man bis nach Mitternacht in Gesellschaft seiner drei besten Freunde geleert hat, muss man froh sein, wenn man sich mit prall gefüllter Blase aus dem Schlafsack quälen kann, es irgendwie ans Ufer schafft und sein bestes Stück herausgefummelt bekommt. Wenn man schließlich erleichtert in den See pinkelt und die Kugel einem dann seitlich den Schädel durchschlägt, kurz auf die Wasseroberfläche aufditscht, wie ein Kieselstein bogenschlagend in Richtung des anderen Ufers hüpft, um weit vor dem rettenden Gestade im pechschwarzen Nass zu versinken, dann denkt man nicht an ein vorbeiziehendes Leben. Dann denkt man höchstens noch: Scheiße. Denn das ist es dann auch. Totale Scheiße. Wenn man umkippt und in den Morast klatscht.

2

Der Campingplatz lag am Krossinsee, im äußersten Zipfel des Berliner Südostens. Wer am Ufer stehend die Zehen ins Wasser tauchte, befand sich bereits halb im Bundesland Brandenburg. Ein Rotmilan flog über den See auf der Suche nach Beute und bot einen erhabenen Anblick. Während er im Morgendunst Kreise am Himmel drehte, hörte man klagende Rufe – *Uuu-Wiuwiu-Wiuuuu … Uuu-Wiuwiu-Wiuuuu*. Plötzlich stand er in der Luft, die Flügel leicht gewinkelt, mit dem gegabelten Schwanz das Gleichgewicht ausbalancierend – er hatte etwas erspäht. Im nächsten Moment schoss er im Sturzflug zur Wasseroberfläche hinab und krallte sich einen jungen Barsch. Mit dem Futter für den Nachwuchs stieg der Greifvogel erneut auf. Flog zu seinem Horst in einem der Wipfel des im Dunkeln liegenden Waldes, unter dessen Kiefern und Buchen zahlreiche Wohnmobile und Zelte standen.

Während die Camper noch schliefen, war Rosa Engelbosch bereits seit fünf Uhr auf den Beinen. Ehe sie um sieben den kleinen Backshop öffnete, machte die Campingplatzbesitzerin ihren morgendlichen Rundgang. Sie war schlank, ihre Haut wettergegerbt. Dank der sportlich-drahtigen Figur und dem burschikosen Kurzhaarschnitt wirkte sie um einiges jünger als die vierundfünfzig Jahre, die ihr Leben schon zählte. Auf der Halbinsel Zingst aufgewachsen, war sie vor mehr als zwanzig Jahren der Liebe wegen nach Berlin gezogen. Ihren Mann Jos, der ursprünglich aus der Provinz Westflandern stammte, hatte sie durch das gemeinsame Faible für die Freikörperkultur kennengelernt. Damals arbeitete Rosa noch auf einem großen FKK-Platz bei Ahrenshoop. Der muskulöse Blondschopf fiel ihr sofort auf, und als der Belgier das dritte Wochenende hintereinander zum Nacktbaden an die Ostsee kam, war ihr klar, dass das Interesse auf Gegenseitigkeit beruhte.

Rosa und Jos hatten sich gefunden und lebten gemeinsam die Freikörperkultur, liefen selbstverständlich auch zu Hause nur nackt herum. Was gab es Schöneres, als die einengende Kleidung abzustreifen, damit Licht und Luft überall hinkamen und die durchs Fenster hineinfallenden Sonnenstrahlen einen sanft umschmeicheln konnten? Dabei umfasste das Nacktsein ja so viel mehr. Für Rosa spiegelte die Freikörperkultur eine ursprüngliche, eine natürliche Nacktheit. Ließ man sich auf diesen Naturzustand ein, befreite man nicht nur den Körper, sondern auch seinen Geist. Man überschritt eine Grenze und konnte so zu einer echten Persönlichkeit reifen.

Als sie den heruntergekommenen Campingplatz am Krossinsee pachten konnten, griffen Rosa und Jos sofort zu. Der ideale Ort, um ihren gemeinsamen Traum von einem Freikörper-Camping-Paradies zu verwirklichen. Doch es war schwerer, als sie gedacht hatten. Die Gäste aus der ehemaligen DDR kamen erst gar nicht, flogen lieber zu den ihnen noch unbekannten Ferienzielen wie Griechenland, Mallorca oder auf die Kanaren. Und die ehemaligen Westbürger ... Die ehemaligen Westbürger blieben aus. Aus kindischer Prüderie, wie Rosa und Jos zu ihrem Bedauern erfahren mussten. Für die meisten Westler war es offenbar unvorstellbar, dass wildfremde Menschen einander nackt sehen konnten. Allein die Vorstellung trieb vielen die Schamesröte ins Gesicht. Und noch etwas machte dem jungen deutsch-belgischen Unternehmen zu schaffen: Ihr Freikörper-

Camping-Paradies am Krossinsee zog schon bald unerwünschte Gaffer an. Männer, die darauf aus waren, nackte Kinder zu betrachten. Trotz Hausverbot kamen fortwährend neue Glotzer. Das hatte alles keine Perspektive. Rosa und Jos gaben frustriert auf, stellten den Platz auf textile Campinggäste um. Und prompt kam der Erfolg. Ein Erfolg, der Rosa fast zuwider war, da er auf den Trümmern ihres zerplatzten Traumes basierte.

Ich schlafe seit meinem sechsten Lebensjahr nackt, dachte sie, ich schwimme seit meinem neunten Lebensjahr nackt, ich liebe seit meinem fünfzehnten Lebensjahr nackt und ich werde mich, verdammt noch mal, auch nackt beerdigen lassen. Wann immer das sein wird!

Rosa stieß ihren Abfallsammelgreifer grimmig in ein Gebüsch und zog eine zerbeulte Einweggrillschale heraus. Sie stopfte die Schale in ihren Müllsack, der bereits zu einem guten Drittel mit zerknüllten Chipstüten, verschmierten Pommes-frites-Schalen und anderem Unrat gefüllt war. Abfall, den Camper achtlos wegwarfen, statt die überall aufgestellten Müllbehälter zu benutzen. Aber das kannte sie, das war jeden Morgen das Gleiche. Gehörte einfach dazu.

Die Campingplatzbesitzerin bog in den Seeweg ein und stockte – am flach abfallenden Ufer lag ein Mann im Morast. Rosa Engelbosch trat näher. Sie hatte zwar noch nie einen Toten gesehen, aber dieser Mann war definitiv tot. Sein halber Schädel war zerborsten, Blut und Hirnmasse ausgelaufen. Der Tote trug lediglich Boxershorts und ein T-Shirt. Der rechte Arm lag beinah vollständig im Seewasser. Daneben im Schlamm eine Pistole. Rosa Engelbosch spürte, wie sich ihr Magen verkrampfte. Sie holte Luft, atmete mehrmals tief durch. Dann nahm sie ihr Mobiltelefon aus der Jackentasche und wählte den Notruf.

»Guten Morgen. Hier spricht Rosa Engelbosch vom Campingplatz Engelbosch am Krossinsee. Ich habe einen toten Mann gefunden. – Ja, hier bei uns auf dem Gelände. Wahrscheinlich ein Camper. – Ich würde sagen, er wurde erschossen. – Gut, dann bis gleich.«

Sie steckte das Mobiltelefon wieder ein und betrachtete die Leiche, beziehungsweise das, was von ihr noch zu erkennen war. Der Mann war schlank, durchtrainiert, erinnerte sie von der Figur her an ihren Jos. Aber der Tote hatte dichte dunkle Haare, während Jos nur noch einen schütteren grauen Haarkranz besaß. Rosa schaute sich um. Hinter einer Baumgruppe konnte sie mehrere Camper in Schlafsäcken erkennen, die neben einer der offiziell angelegten Grillstellen schliefen. Offenbar hatten sie es nicht für nötig befunden, ein Zelt aufzubauen.

Die Campingplatzbesitzerin nahm ihren Müllsack und ging zu ihnen. Erst jetzt sah sie, dass in einem der Schlafsäcke kein Mensch lag. Neben der Grillstelle stand ein Haufen leerer Weinflaschen. Mit ihrem Abfallsammelgreifer stieß Rosa Engelbosch die Schlafenden nacheinander an. Es waren drei Männer, die langsam zu sich kamen.

»Was wollen Sie?«, grunzte ein untersetzter Endvierziger mit Stirnglatze schlaftrunken.

»Da vorne liegt ein Toter. Kann es sein, dass der zu Ihnen gehört?«, fragte Rosa Engelbosch und deutete auf den leeren Schlafsack.

»Wo liegt ein Toter?«

»Kommen Sie mit …«

Die drei Männer rappelten sich hoch. Alle waren Ende vierzig und wirkten verkatert. Sie folgten der Campingplatzbesitzerin zum Ufer.

»Die Polizei ist bereits unterwegs.«

Geschockt starrten die Männer auf die Leiche, sahen sich fassungslos an. Keiner brachte ein Wort heraus. Obwohl jeder von ihnen genau wusste, wie man sich in so einer Situation zu verhalten hatte.

Theoretisch und auch praktisch.

3

Kommissar Martin Nettelbeck war verschnupft. Nicht im übertragenen Sinne, sondern ganz real. Am Wochenende hatte er gespürt, wie sich eine Sommergrippe anschlich. Vermutlich verdankte er sie der neuen Klimaanlage im Landeskriminalamt. Seine Schleimhäute trockneten im Büro aus, konnten ihre Schutzschildfunktion nicht mehr richtig wahrnehmen. Nettelbeck hatte ein kratzendes Gefühl im Hals, seine Nase lief, er fühlte sich müde und ausgelaugt. Philomena hatte ihm zum Frühstück eine Kanne heißen Ingwertee gekocht und er ihn mit Todesverachtung heruntergeschluckt. In der Hoffnung, dadurch Schlimmeres wie Gliederschmerzen oder Fieber zu vermeiden. Notfalls könnten sie es am Abend noch mit Wadenwickel und einer Schwitzkur versuchen, hatte Philomena vorgeschlagen. Bei der Aussicht darauf sträubten sich Nettelbecks sämtliche Nackenhärchen – brrrrr!

Von der Fahrerseite wurden dem Ersten Kriminalhauptkommissar wiederholt abschätzige Blicke zugeworfen. Wilbert Täubner steuerte den BMW am Jachthafen Schmöckwitz vorbei und bog kurz darauf in die Straße ein, an der der Campingplatz lag. Der junge Kommissar wirkte ausgeruht und strahlte über das ganze Gesicht, ganz so, wie es sich für diesen wundervollen Sommermorgen gehörte.

»Es soll sich bei den Männern um höhere Polizeibeamte handeln«, sagte Täubner.

»Und was genau darf ich mir darunter vorstellen?« Gequält stopfte Nettelbeck sich eine Halspastille in den Mund.

»Keine Ahnung. Das werden wir ja gleich sehen.«

»Ich hasse Camping«, stieß Nettelbeck heiser hervor. »Man kann nicht mal richtig Musik hören, ohne dass der Zeltnachbar sich aufplustert.«

»Steht eben nicht jeder auf Posaune. Du solltest es vielleicht mal mit den aktuellen Singlecharts versuchen.«

Nettelbeck stöhnte. »Außerdem ist mir campen eindeutig zu primitiv.«

»Ich war letzten Sommer mit Irina in den Pyrenäen. Also unser Wohnmobil war klasse. Und jeden Abend hatten wir einen anderen Standplatz. So ein Urlaub wäre für euch vier doch ideal.«

Nettelbeck ersparte sich eine Antwort und schniefte stattdessen in sein Taschentuch.

Der BMW rumpelte einen kopfsteingepflasterten Weg entlang, der in ein dichtes Waldgebiet führte. Nach wenigen Metern erreichten sie die Einfahrt zum Campingplatz *Jos und Rosa Engelbosch*, die mit einer Schranke verschlossen war. Dahinter standen zwei uniformierte Beamte. Täubner zeigte ihnen seinen Ausweis und der Schlagbaum ging hoch.

»Sie können direkt bis zum Fundort fahren. Einfach nur links halten.«

Täubner nickte und gab Gas. Im Schritttempo glitten sie an der Rezeption vorbei, einem Lebensmittelladen inklusive Minibackshop, passierten Wohnmobile, Caravans und Zelte in allen Größen und Farben. Die meisten Camper saßen gerade beim Frühstück und diskutierten den polizeilichen Großeinsatz. Das Gelände machte einen gepflegten Eindruck, die Gebäude hätten aber eine Renovierung verdient gehabt. Zum Ausgleich bot sich den Gästen ein malerischer Blick auf den Krossinsee. An einem Abenteuerspielplatz bog Täubner nach links in den Seeweg ab. Neben einem kleinen Häuschen der Wasserwacht standen mehrere Mannschaftswagen. Eine weiträumige Absperrung sicherte den Tatort im Uferbereich. Die Kommissare parkten und stiegen aus.

Rosa Engelbosch stand vor dem Flatterband und sprach mit zwei Beamten des Kriminaldauerdienstes. Als die beiden Männer Nettelbeck und Täubner erblickten, ließen sie die Campingplatzbesitzerin stehen und gingen ihren Kollegen entgegen. Die Polizisten machten sich kurz miteinander bekannt, tauschten erste Informationen aus. Sechs Minuten nach Rosa Engelboschs Anruf war ein Streifenwagen auf dem Campingplatz eingetroffen und die Kollegen hatten das Gelände abgesperrt, fünf Minuten später waren die zwei KDD-Kommissare vor Ort gewesen. Ihnen waren spezielle Routinen antrainiert worden, mit denen sie jeden Tatort möglichst schnell erfassen und sichern konnten. Die Spurensicherung war inzwischen ebenfalls bei der Arbeit, zwei Kriminaltechniker untersuchten den Fundort.

Der Tote gehörte zu einer vierköpfigen Campinggruppe, die eine mehrtägige Radtour unternommen hatte. Die Männer waren voneinander separiert worden, jeder saß für sich allein in einem der Mannschaftswagen. Während die KDD-Kommissare auf die Kollegen vom Landeskriminalamt warteten, hatten sie eine erste Vernehmung durchgeführt. Nachdem sie jedoch erfahren hatten, dass es sich bei der Männergruppe um hohe Polizeibeamte handelte, drangen sie nicht weiter in sie. Das überließen sie lieber den Kollegen des LKA.

»Und hier sind wir auch schon«, grinste Täubner.

»Dann zeigt ihn uns mal«, sagte Nettelbeck und schniefte gequält in sein Taschentuch.

»Sommergrippe?«, fragte der ältere der KDD-Kommissare. »Dagegen hilft am besten Ingwertee. Oder Wadenwickel. Stärkt die Abwehrkräfte.«

Nettelbeck rang sich ein Lächeln ab und trat zu dem Leichnam.

»Es ist alles noch so, wie wir es vorgefunden haben«, sagte der zweite KDD-Kommissar.

Ein Kriminaltechniker deutete auf eine Pistole, die zwanzig Zentimeter von der Leiche entfernt im Uferschlamm lag. »Ein *Smith & Wesson* Kurzrevolver. .38 Spezial. 5-schüssig. Der Lauf beträgt zwei Zoll. Die Kugel ist vermutlich ins Wasser geflogen.«

»Perfekte Mannstoppwirkung«, nickte Täubner. »Könnte sich um Suizid handeln. Was meinst du?«

»Möglich«, hustete Nettelbeck. »Wilbert, informiere die Kollegen der Wasserschutzpolizei und fordere Polizeitaucher an. Sie sollen den Uferbereich mit Metalldetektoren absuchen. Vielleicht finden sie die Kugel ja.«

»Geht klar.«

Täubner entfernte sich ein paar Schritte, um zu telefonieren.

»Wer sind denn die drei anderen?«, fragte Nettelbeck die KDD-Kollegen. Der jüngere Beamte klappte ein Notebook auf und hielt es ihm hin.

Lutz Büchler
geboren am 04.08.1967
Spessartgasse 7
68309 Mannheim
Stellvertretender Landeskriminaldirektor

Max Hartl
geboren am 17.02.1968
Liebfrauenplatz 5
94032 Passau
Leiter des Einsatzstabes im Führungs- und Lagezentrum

Steffen Reifenberg
geboren am 28.11.1967
Gregoriusstraße 5
13465 Berlin
Professor an der HWR Berlin für
Allgemeine Kriminalistik

»Und der Tote? Wer ist das?«

Der ältere KDD-Kommissar blickte in sein Notizbuch.

»Ein René Walcha. Geboren am 19. April 1968. Wohnhaft in der Wohlgemuthstraße 16 in 04179 Leipzig. Er leitete das Leipziger Dezernat für Wirtschaftskriminalität.«

»Dann haben wir es ja echt mit hohen Tieren zu tun. Richtig tollen Hechten«, grinste Nettelbeck schief und wurde von der nächsten Hustenattacke geschüttelt.

4

Kriminalrätin Jutta Koschke stand in ihrem alten Büro und blickte sich um. Ihr war hundeelend zumute, nichts war mehr so, wie sie es in Erinnerung hatte. Der Schreibtisch stand auf der anderen Seite des Raumes, die Besprechungsecke war vor das Fenster gerückt, ihre ausgestopften Fische waren entfernt worden. Stattdessen hatte ihr Stellvertreter mehrere grottenhässliche Kunstdrucke aufgehängt. Große, grotesk verzerrte Karikaturen der Rolling Stones. Mick, Keith, Ron und Charlie mit Schlauchbootlippen, riesigen Zinken, und das alles in grellen Farben. Grauenvoll.

Die Kriminalrätin bezweifelte zwar, dass Räume, die nach Feng-Shui-Gesichtspunkten gestaltet waren, positiven Einfluss auf das Wohlbefinden hatten. Doch der Mensch, der diese Veränderungen vorgenommen hatte, musste nicht nur Feng-Shui nach eine schwer raum- und farbgestörte Persönlichkeit besitzen. Hier floss definitiv kein Chi, hier stieß es vielmehr permanent auf Widerstände. Auf raumhohe Mauern. Die Kriminalrätin hätte heulen können.

Es war Jutta Koschkes erster Arbeitstag. Nach ihrer Beurlaubung im vergangenen Jahr hatte sie ihren Mann Günther zu Hause gepflegt, bis er schließlich am 7. November gestorben war. Obwohl sie von Anfang an wusste, dass er keine Überlebenschance besaß, hatte sie die ganze Zeit auf ein Wunder gehofft. Wie die meisten Menschen es wohl in solch einer Situation taten. Umso stärker hatte sie Günthers Tod getroffen. Jutta Koschke erlitt einen völligen Zusammenbruch, musste sich ein halbes Jahr krankschreiben lassen. Anschließend folgten vier Wochen Reha. Aber noch immer drohte die Leere, die der Tod ihres Mannes hinterlassen hatte, sie zu erdrücken. Deshalb war sie froh, als sie endlich wieder die Arbeit aufnehmen konnte. Und jetzt das hier …

Es klopfte, einen Moment später betrat Irina Eisenstein den Raum.

»Guten Tag, Frau Koschke.«

Die Kriminalrätin zwang sich zu einem Lächeln. »Hallo, Frau Eisenstein.«

»Schön, dass Sie jetzt wieder arbeiten können. Es waren sicher ziemlich schwere Monate …«

Jutta Koschke nickte reserviert. »Und hier? Was hat sich so getan in meiner Abwesenheit?«

Irina zuckte mit den Achseln. »Da fragen Sie die Falsche. Ich arbeite nicht mehr als Angestellte im Ermittlungsdienst.«

»Wieso das denn nicht?«

»Ich studiere inzwischen Kriminalistik an der Hochschule für Wirtschaft und Recht. Nach dem Sommer bereits im dritten Semester.«

Jutta Koschke lächelte. »Das finde ich gut. Sehr gut sogar. Sie sind nämlich ausgesprochen begabt für unseren Beruf. Außerdem müssen wir es den Kerlen endlich mal zeigen. Auch ohne Quote. Aber denken Sie immer daran – eine kluge Frau hat Millionen geborener Feinde: alle dummen Männer.«

Die Kriminalrätin lachte über ihr Witzchen und Irina stimmte pflichtschuldig mit ein.

»Dann besuchen Sie also mal wieder die alten Kollegen …?«

Irina schüttelte den Kopf. »Ich mache ein fünfwöchiges Praktikum und wurde Ihrem Dienstbereich zugeteilt.«

»Davon weiß ich ja gar nichts.«

Die junge Frau griff in ihre Tasche, holte ein Schreiben heraus und reichte es der Kriminalrätin. Die überflog es.

»Stimmt. Meine Vertretung hat die Information leider nicht an mich weitergeleitet. Offensichtlich hat Herr Philippsen nicht nur geschmackliche Defizite, sondern ist auch in organisatorischen Dingen eine ziemliche Null.«

Jutta Koschke lachte erneut, doch diesmal verzog Irina Eisenstein keine Miene.

5

Wilbert Täubner war mit den anderen Polizisten ausge-
schwärmt, um die Zeltplatzbewohner nach etwaigen Auffäl-
ligkeiten in der vergangenen Nacht zu befragen. Martin
Nettelbeck sprach unterdessen mit den drei Kriminaldirektoren, erklärte einem nach dem anderen, dass sie in Kürze
zur Vernehmung ins Landeskriminalamt in der Keithstraße
gebracht werden würden. Die Männer waren kooperativ, sie
kannten den polizeilichen Modus procedendi aus eigener
Erfahrung zur Genüge. Danach hatte Nettelbeck die Campingplatzbesitzerin vernommen. Besonders viel konnte Rosa
Engelbosch ihm nicht erzählen, aber ihr Bericht war an-
schaulich, klar und auf dem Punkt. Vor allem interessierte
sich der Kriminalhauptkommissar für den Moment, als sie
René Walchas Campinggefährten aufgeweckt hatte.

»Ich habe den dreien direkt ins Gesicht geguckt. Sie
schienen von der Nachricht, dass ihr Freund tot ist, wirklich
überrascht. Ich habe bei keinem ein Anzeichen dafür gesehen, dass einer von ihnen bereits Bescheid wusste.«

»Es wäre immerhin denkbar, dass einer der drei es kaschiert hat.«

»Schon, aber dann muss diese Person sehr gut schauspie-
lern können.«

»So was kommt vor«, schniefte Nettelbeck und suchte
nach einem frischen Taschentuch.

»Sommergrippe?«

Nettelbeck nickte.

»Haben Sie es schon mal mit der freikörperlichen Le-
bensweise versucht?«

»Womit?«

»Mein Mann Jos und ich praktizieren sie bereits seit über dreißig Jahren. Husten, Schnupfen, verstopfte Nasen, Halsschmerzen oder was auch immer kennen wir nicht. Ich habe in der Rezeption ein paar interessante Broschüren. Ich kann Ihnen gerne eine mitgeben.«

Nettelbeck schüttelte den Kopf. »Danke, aber ... im Moment ...« Der Kommissar suchte nach Worten und war froh, als Täubner zurückkam.

»Nichts, Martin. Niemand hat in der Nacht etwas bemerkt oder gehört. Offenbar schläft man hier wie in Abrahams Schoß. Ist ja auch wirklich ein wunderschön gelegener Campingplatz.«

»Danke.« Rosa Engelbosch nickte verkniffen. Die kaum verbrämte Ablehnung ihres gut gemeinten Angebotes hatte sie getroffen. Zwar war es meistens so, dass sie mit ihren nudistischen Ratschlägen auf Desinteresse stieß, doch bei der Polizei hatte sie schon etwas mehr Verständnis erwartet. Aber offenbar war das Motto *Dein Freund und Helfer* auch aus der Mode gekommen. Wie so vieles in den letzten Jahren.

6

Nadine Lemmnitz hatte die Augen geschlossen und ließ die Bilder fließen. Das konnte sie auf Knopfdruck. In jeder Situation. Sie hatte das in der Zeit im Gefängnis perfektioniert. Sobald sie ihre Augen zumachte, begannen die Bilder Gestalt anzunehmen. Egal, was um sie herum passierte. Ob sie alleine war oder unter Menschen. Ob es leise zuging oder laut. Die Bilder kamen und blieben. Alle zeigten sie Petra. Präsentierten die schönsten Momente, die Nadine mit ihrer

Freundin erlebt hatte. Die gemeinsamen Höhepunkte ihrer einmaligen, alles überragenden Liebe. Bilder, an denen sie sich nicht sattsehen konnte. Momente, die sie immer wieder durchleben wollte.

Ein Sitznachbar stieß sie an.

»Sag mal ... Rehberge? Ist das die nächste oder eins weiter?«

Nadine schlug die Augen auf und starrte den jungen Türken finster an, dem erst jetzt bewusst wurde, dass er es mit einer Frau zu tun hatte.

»Keine Ahnung. Weiß ich nicht.«

Sie wandte sich ab und der Typ ließ sie in Ruhe. Sie konnte ihn ja verstehen. In dem T-Shirt mit dem Aufdruck *Ischenkiller*, der gefleckten Bundeswehrtarnhose, den Springerstiefeln und mit ihren raspelkurzen Haaren sah sie wirklich wie ein Kerl aus. Und zwar wie ein richtig harter, zu allem entschlossener Macker. Das war ihr auch wichtig. Diesen Ruf hatte sie sich hart erarbeitet. Eine ein Meter zweiundsechzig große Kampfmaschine, hatte sie Petra in der JVA Lichtenberg manchmal im Scherz genannt. Doch das war nicht sehr oft gewesen. Normalerweise benutzte Petra die Worte, die sie Nadine in ihrer ersten Liebesnacht zugeflüstert hatte: »Meine süße Maus, mit ganz, ganz viel Seele.«

Aber im Frauenknast musste man sich behaupten. Musste lernen, sich durchzusetzen, wenn man es bis dahin noch nicht konnte. Man brauchte Härte und Kampfgeist. Das war überlebenswichtig. Nadine musste lernen, die Stärke für zwei aufzubringen, nachdem Petra ihren Scheißkrebs bekommen hatte. Vor dem Knast, als sie beide noch in dem Kunststoff-Spritzgießwerk gearbeitet hatten, war es andersrum gewesen. Da war Petra die Einrichterin, souverän und taff, und Nadine hatte sie als Frau Hennecke angesprochen. Petra hatte ihr das Du angeboten und sie an ihrer Maschine angelernt, ihr die ganzen Kniffe und Tricks beigebracht, mit denen sie als Produktionshelferin die altersschwache Spritz-gießmaschine am Laufen halten konnte. Denn wenn sie ausfiel, sackte auch ihr Akkordlohn in den Keller. Nadine hatte sich sofort in Petra verliebt. Trotz des Altersunter-schiedes. Sie war die tollste vierzigjährige Frau, die Nadine je getroffen hatte. Und mit ihren dreiundzwanzig Jahren hatte sie schon einige Ladys gehabt.

Inzwischen war sie einunddreißig und seit fünf Wochen wieder draußen. Aber Petra gab es nicht mehr.

Die U-Bahn hielt in einer Station und der Türke verließ den Waggon. Nadine überlegte, ebenfalls auszusteigen, ent-schloss sich dann aber, bis zur Endhaltestelle zu fahren. Dort würde sie weitersehen. Seit zwei Wochen fuhr sie mit dem Sozialticket durch Berlin. Den ganzen Tag. Kreuz und quer. Ziellos. Stieg irgendwo ein, stieg irgendwo aus, nahm einen Bus, die Tram, die S- oder U-Bahn in eine andere Richtung. Egal, wohin. Fuhr und fuhr und fuhr. Nur Don-nerstagsmorgen blieb sie zu Hause. Wobei es kein Zuhause war und auch niemals eins werden würde. Aber Donners-tagsmorgen hatte sie dort ihren wöchentlichen Termin mit ihrer Bewährungshelferin.

Leben ohne Gitter hieß das Übergangsheim, das sich um haftentlassene Frauen mit besonders schweren sozialen Problemen kümmerte. Theoretisch konnte sie in der Ein-richtung für einen Zeitraum von bis zu zwei Jahren bleiben. Vorausgesetzt, man arbeitete aktiv an seiner sozialen In-tegration mit, kam mit den anderen Bewohnerinnen zurecht und bemühte sich um Arbeit. Ein Leben fast wie im Knast also. Außer Nadine wohnten zurzeit noch fünf weitere Frauen in dem Heim. Jede hatte ein Einzelzimmer, Küche und Bad wurden geteilt. Alles Exknackis, die langjährige

Haftstrafen hinter sich hatten. Raub, Betrug, Unterschlagung, Totschlag. Sie war die Einzige, die wegen Mordbeteiligung eingesessen hatte.

Die beiden Betreuerinnen von *Leben ohne Gitter* legten besonderes Gewicht auf den Aufbau einer festen Tagesstruktur, das A und O einer funktionierenden Lebenspraxis, wie sie Nadine im ersten Gespräch stundenlang eingehämmert hatten. Sie halfen den Bewohnern bei Ämter- und Behördengängen, unterstützten sie bei der Arbeits- und Wohnungssuche. Wobei klar war, dass man ohne feste Arbeit keine Chance auf eine eigene Wohnung hatte. Nadines Bewerbungen waren bislang alle im Sand verlaufen. Nichts mit Arbeit. Die ersten drei Wochen nach der Haftentlassung hatte sie deshalb nur in ihrem Zimmer gehockt. Alte Knastgewohnheit. Bis die Betreuerinnen sie aufforderten, sich draußen umzusehen, im echten Leben.

Also fuhr Nadine und fuhr und fuhr und fuhr ...

7

Kriminalrätin Koschke hatte gerade die Büromöbel wieder auf ihre alten Plätze zurückgeschoben, als Irina Eisenstein mit einem Aktenwagen voller Kartons ins Büro kam.

»Schauen Sie mal, was ich gefunden habe.« Irina nahm einen der Kästen und öffnete ihn. Darin lag eine präparierte Fischtrophäe. Ein grimmig guckender Hecht, der auf einem ovalen Birkenrindenbrett befestigt war.

Jutta Koschke klatschte begeistert. »Wo haben Sie den denn aufgetrieben?«

»In der Asservatenkammer. Jemand hat die Fische gleich nach Ihrer Beurlaubung einlagern lassen.«

»Wunderbar! Und wer war das?«

»Da muss ich passen. Das konnte man mir nicht sagen.«

»Na, das kriege ich schon raus. Jetzt aber erst mal zu Ihnen.«

Die beiden Frauen setzten sich in die Besprechungsecke.

»Wo möchten Sie denn Ihr Praktikum am liebsten absolvieren? In welcher Abteilung würden Sie gerne mitarbeiten?«

»Da bin ich eigentlich offen«, antwortete Irina.

»Wie wäre es mit dem Dezernat 13? Täterorientierte Prävention bei haftentlassenen und rückfallgefährdeten Gewaltstraftätern. Oder die Abteilung für Gewaltdelikte an Schutzbefohlenen und Kindern. Auch ein sehr spannender Bereich.«

»Ich weiß nicht so recht. Mir schwebt etwas mehr Analytisches vor.«

»Dann rate ich Ihnen zu der Auswerteeinheit. Die befassen sich mit operativer Fallanalyse. Eine hochinteressante Sektion.«

»Am liebsten würde ich bei einem Mordfall mit ermitteln. Direkt am Ort des Geschehens quasi.«

»Verstehe. Gut, dann werde ich mal schauen, welches Team momentan Unterstützung gebrauchen könnte.«

»Wie sieht es denn mit Martin und Wilbert aus? Bearbeiten die gerade einen aktuellen Mord?«

Jutta Koschke schaute einen Moment skeptisch, doch dann nickte sie. »Ja, das wäre eine Möglichkeit. Die zwei haben einen neuen Fall übernommen.«

»Dann sind Sie einverstanden? Dann komme ich zu den beiden?«

Koschke nickte erneut. »Meiner Fischretterin kann ich so eine Bitte ja wohl schlecht abschlagen. Außerdem wird den beiden Herren eine Erhöhung der Frauenquote guttun.«

Die Kriminalrätin lachte und dieses Mal fand es Irina angebracht, mit einzustimmen. Schon rein quotentechnisch.

8

Der tägliche Albtraum aller Pendler: Die S-Bahn hatte mal wieder Verspätung. Mehrere Züge waren ausgefallen, wie so oft. Bauarbeiten auf der Strecke nach Strausberg Nord waren Sonntagnacht nicht rechtzeitig fertiggestellt worden. Die Einschränkungen sollten noch bis Dienstagnachmittag dauern. Der Zeitverlust war enorm. Da half es auch nicht viel, dass zwischen den Bahnhöfen Ostkreuz und Wuhletal Busse im Ersatzverkehr eingesetzt wurden.

Nadine Lemmnitz war es egal. Sie hatte sowieso kein Ziel und wechselte auf den Bahnsteig, an dem die Züge der Ringstrecke hielten. Die waren wenigstens nicht so überfüllt.

Nadine setzte sich auf eine Wartebank, schloss die Augen und ließ die Bilder fließen. Sofort sah sie Petra vor ihrem inneren Auge. Ihre wunderschöne, kluge, zärtliche Petra. Nach der Spätschicht hatten sie ein paar Mal in einem Imbiss etwas gegessen, wobei Petra von ihrem Mann Elmar erzählte. Sie hatte ihn viel zu früh geheiratet, Kinder waren ausgeblieben. Elmar war ein Riesenmonsterarschloch der übelsten Sorte. Er arbeitete nicht, betrank sich ständig und hatte seine Finger in irgendwelchen schmutzigen Geschäften stecken, die er aber vor Petra geheim zu halten versuchte. Als sie einmal zu hartnäckig war und wissen wollte, wieso er plötzlich über so viel Geld verfügte, schlug er Petra bewusstlos. Sie hatte nie mehr gefragt. Die Abende verbrachte Elmar meistens vor dem Computer, flirtete vermutlich mit irgendwelchen Frauen. Petra hätte ihn längst verlassen sollen, aber irgendwie …

Eines Abends hatte Nadine nach Verlassen des Imbisses die Initiative ergriffen und Petra geküsst. Ein überaus zärtlicher Kuss, den Petra ohne Zögern erwiderte. Als sie sich am nächsten Tag bei der Arbeit sahen, konnten sie es kaum aushalten. Geballtes Schmetterlinge-im-Bauch-Gekribbel! Doch es war schwierig, längere Zeit ungestört miteinander zu verbringen. Fast unmöglich.

Zehn Tage später kam Elmar nach einem Unfall ins Krankenhaus und sie und Petra hatten sich zum ersten Mal geliebt. Im Ehebett der Henneckes. Ein Traum wurde wahr. Sie schmiedeten Zukunftspläne. Petra war fest entschlossen, ihren Mann zu verlassen, um mit Nadine zusammenzuziehen. An dem Tag, als sie es Elmar sagen wollte, kam er ihr jedoch zuvor. Mit einer ebenso wichtigen Nachricht. Elmar hatte nach neunzehnjährigem Lottospiel endlich die ersehnten sechs Richtigen getippt. Die Quote bescherte ihm 972.364,20 Euro. Wahnsinn! Petra behielt ihre Neuigkeit daraufhin für sich, beriet sich stattdessen mit Nadine. Was wäre …? Was wäre, wenn wir Elmar beseitigen und mit dem Geld irgendwo ein neues Leben anfangen? Nadine war gleich Feuer und Flamme und sie entwickelten einen Plan. Einen todsicheren, bei dem nichts schiefgehen konnte.

Über eine Singlebörse nahm Nadine Kontakt zu Elmar auf, lockte ihn nach tagelangem Hin und Her auf einen Parkplatz, wo sie und Petra ihn töteten. Bis dahin lief alles gut, aber durch eine Reihe unglücklicher Zufälle endete ihr todsicherer Plan als Scherbenhaufen. Vier Tage später wurden die beiden Frauen in dem Spritzgießwerk verhaftet. Petra bekam wegen Mordes lebenslänglich, Nadine wegen Beihilfe sieben Jahre. Doch ihr Glück hatte sie nicht ganz verlassen, sie durften die Strafe in der Justizvollzugsanstalt Lichtenberg immerhin gemeinsam verbüßen.

Nadine hatte bereits zwei Züge passieren lassen, stand nun auf. Zeit, den Ort zu wechseln. Als sie der einfahrenden S-Bahn entgegenblickte, trat eine Bettlerin zu ihr, in der Hand eine Dose.

»Geld bitte, ja? ... Kleine Spende, bitte?«

»Wieso?«

»Hunger ... Bosnien kommen ... Geld für Kind.«

»Erzähl keine Scheiße, du blöde Fotze!«

Nadine entriss der Frau die Dose, stieß sie rüde zu Boden. Sie kippte das Geld in ihre Hand, warf die Dose ins Gleisbett und betrat einen Waggon. Dort setzte sie sich auf eine Bank und schloss die Augen.

Und die Bilder begannen zu fließen.

9

In einem Fahrzeugkonvoi hatten Nettelbeck und Täubner die drei Kriminaldirektoren durch halb Berlin geschleust, sodass sie schließlich wohlbehalten im LKA-Gebäude in der Keithstraße landeten. Jetzt saßen Lutz Büchler, Max Hartl und Steffen Reifenberg in drei verschiedenen Vernehmungszimmern, ein Polizeibeamter war jeweils zu ihrer Aufsicht abgestellt worden.

Nettelbeck und Täubner ihrerseits warteten seit fast zehn Minuten in Jutta Koschkes Büro und sahen zu, wie die Kriminalrätin erneut auf ihren Stuhl kletterte und umständlich die letzte Fischtrophäe aufhängte.

Endlich stand sie wieder mit beiden Füßen auf dem Boden und betrachtete zufrieden das Resultat. Dann nahm sie hinter ihrem Schreibtisch Platz. »So, jetzt aber zu den wirklich wichtigen Dingen. Ich freue mich, wieder im Dienst zu sein und mit euch zusammenarbeiten zu können. Ich hoffe, euch geht es genauso.«

»Aber selbstverständlich«, erwiderte Täubner und strahlte seine Vorgesetzte an. »Die Freude ist ganz meinerseits.«

Nettelbeck sagte kein Wort, wirkte leicht gequält.

»Bist du anderer Meinung, Martin?«, fragte Koschke irritiert.

Täubner warf seinem Kollegen einen mitleidigen Blick zu: »Er hat die Sommergrippe.«

»Der Ärmste … Martin, falls du einen medizinischen Ratschlag benötigst …«

»Nein, nein, ich habe alles«, beeilte sich Nettelbeck. »Schön, dass du wieder an Bord bist, Jutta. Wirklich.«

»Na, bestens«, nickte die Kriminalrätin zufrieden. »Dann erzählt mal weiter.«

»Alle vier Herren sind Kriminaldirektoren in hohen Leitungsfunktionen«, erläuterte Täubner. »Sie wollten gemeinsam an dieser LKA-Tagung am Tempelhofer Damm teilnehmen.«

»Welche Tagung?«

»Sekunde …«, der junge Kommissar warf einen Blick auf sein Tablet. »*Diffundierung von Grenzen – Chancen und Risiken von Polizeiarbeit in der Sicherheitsarchitektur einer post-territorialen Welt* … Sie beginnt morgen früh und geht bis einschließlich Freitag.«

»Klingt äußerst interessant. Das wäre auch etwas für mich gewesen. Aber der Kollege Philippsen hat es natürlich versäumt, mich rechtzeitig zu informieren. Wie seid ihr eigentlich mit Alfred klargekommen?«

»War ganz okay«, sagte Nettelbeck.

Koschke nickte wenig überzeugt und sah Täubner an.

»Keinerlei Probleme«, lächelte der junge Kommissar. »Lief im Großen und Ganzen alles reibungslos.«

»Gut, gut. Nachdem, was ihr mir bislang erzählt habt, scheint es sich vermutlich ja um einen Suizid zu handeln. Trotzdem solltet ihr eine Fremdverursachung nicht ausschließen.«

»Das tun wir niemals, Jutta. Wir sind mit der fallanalytischen Vorgehensweise bei der Bearbeitung ungeklärter schwerwiegender Gewaltdelikte bestens vertraut«, schniefte Nettelbeck hinter seinem Taschentuch. »Kann ich dir gerne schriftlich geben.«

Die Kriminalrätin lächelte säuerlich. »Nimm mich nicht gleich wieder auf den Arm, Martin. Das ist heute mein erster Tag.«

»Ich wollte ja nur klarstellen, dass wir uns der Bedeutung der Ermittlung bewusst sind«, schob Nettelbeck versöhnlich nach.

»Umso besser. Dann könnt ihr sicherlich etwas Verstärkung brauchen. Irina Eisenstein wird euch in den nächsten fünf Wochen unterstützen.«

»Im Ernst?« Nettelbeck schaute Koschke überrascht an, während Täubner in sich hineinlächelte.

»Aber nicht im Schreibdienst, sondern beim Ermitteln. Irgendwelche Einwände?«

»Nein, eine tolle Idee«, erwiderte Nettelbeck. »Ihre Hilfe ist uns sehr willkommen.«

»Und wenn ich von ermitteln spreche, Martin, dann meine ich damit auch die Arbeit vor Ort, mitten im Minenfeld.«

Nettelbeck und Täubner nickten.

Jutta Koschke setzte einen Gesichtsausdruck auf, den sie für smart und ironisch zugleich hielt. »Ausgezeichnet. Dann ist ja alles im Lot.«

Zufrieden ließ die Kriminalrätin den Blick durch das Büro schweifen. Nicht nur ihr alter Arbeitsplatz sah wieder so aus, wie sie es erwartet hatte, auch ihre Untergebenen akzeptierten nach wie vor ihre Kompetenz. Die Sorgen der letzten Tage waren völlig umsonst gewesen.

Nettelbeck und Täubner gingen durch den Flur zu ihrem Büro.

»Man sollte in unserem Beruf einfach nicht zu lange aussetzen. Darunter leidet eindeutig die kriminalistische Empathie.«

»Sprichst du von Frau Koschke? Oder meinst du das auf unseren Fall bezogen?«, fragte Täubner.

»Das meine ich auf meine Person bezogen«, schnaubte Nettelbeck, dem die Taschentücher ausgegangen waren. »Ich finde Alfred übrigens mit jeder Sekunde besser, je länger ich über ihn nachdenke. Eigentlich ist er ein außerordentlich einfühlsamer Chef. Zumindest im Vergleich zu einer gewissen Kollegin.«

Täubner grinste und wollte etwas erwidern, da klingelte Nettelbecks Smartphone.

»Ja? – Grüß dich, Roger. Sekunde.« Nettelbeck ließ das Gerät sinken. »Geh schon mal vor, Wilbert. Ich komme gleich nach.«

Täubner nickte und entfernte sich.

»Roger! Jutta ist zurück! – Was gibt es da zu lachen? Kaum rede ich ein paar Minuten mit ihr, bezweifelt sie auch schon meine ermittlerische Kompetenz. – Natürlich kenne ich Jutta. Und das nicht erst seit gestern. – Nein, ich bin nicht beleidigt, aber es fängt jedenfalls schon mal gut an. Das wollte ich nur gesagt haben. – Schieß los, was möchtest du? – Du nimmst auch an der Tagung teil? Schön für dich. – Das habe ich mir fast schon gedacht. – Na, dass du die Herren kennst. – Auch René Walcha? – Was für ein Typ war er?

Kanntest du ihn näher? – Roger, ich ruf dich später noch mal an. Jetzt beginnen gleich die Vernehmungen. – Selbstverständlich halte ich dich auf dem Laufenden. – Geh mal davon aus, dass wir uns bei der Tagung über den Weg laufen werden. Das heißt, wenn die drei weiterhin daran teilnehmen wollen ...«

Wilbert Täubner stand vor seinem Schreibtisch und hatte beide Arme um Irina Eisensteins Taille geschlungen. Sie küssten sich leidenschaftlich.

»Bin ich smart, Wilbert?«

»Du bist die Smarteste von allen!«

»Sag es noch mal!«

»Du bist die Allerallersmarteste.«

»Danke.«

»Ich hätte keine zehn Cent darauf gewettet, dass du das hinkriegst«, grinste Täubner.

»Du unterschätzt mich eben immer wieder.«

»Das war heute das letzte Mal, *ma belle*. Versprochen.«

Täubner nahm ihr Gesicht in beide Hände und küsste sie zärtlich.

Die Tür ging auf und sie lösten sich schnell voneinander. Gerade noch rechtzeitig, ehe Nettelbeck sie sehen konnte.

Täubner ließ sich in seinen Schreibtischstuhl fallen und Irina drehte sich zu dem Ersten Kriminalhauptkommissar um.

»Martin, hallo! Ich bin für die nächsten fünf Wochen deinem Team zugeteilt worden. Na, was sagst du?«

Irina machte Anstalten, Nettelbeck zu umarmen, doch der zeigte auf seine gerötete Nase und wich zurück.

»Oh, Sommergrippe«, sagte die junge Frau.

Nettelbeck setzte sich an seinen Schreibtisch und lächelte

sie an. »Toll, ich freue mich wirklich, Irina. Wir können deine Hilfe gut gebrauchen. Setz dich doch.«

Irina nahm den Besuchersessel, schob ihn neben Täubner und nahm Platz.

»Hat Wilbert dir schon von unserem Toten erzählt?«

»Nicht viel, nur ein bisschen.«

»Dann bringen wir dich erst mal auf den Stand der Dinge. Und danach wird jeder von uns einen der drei Herren vernehmen. Ich befrage Lutz Büchler, Wilbert übernimmt Steffen Reifenberg und du kriegst Max Hartl, Irina. Wie hört sich das an?«

Irina strahlte. »Toll, gleich das volle Programm! So liebt es eine ehrgeizzerfressene Nachwuchskriminalistin.«

»Pass bloß auf, Wilbert, dass Irina dir nicht deinen Job wegschnappt.«

Täubner hob beide Hände und lächelte. »Ich werde ihr nicht im Weg stehen. Ich war schon immer ein absoluter Anhänger der Frauenquote!«

10

Max Hartl musste schmunzeln. Die junge Kollegin erinnerte ihn auffallend an seine Tochter. Der gleiche forsche Blick, die schnelle Sprechweise und die langen honigfarbenen Haare, die auch bei seiner Simone bis zu den Schulterblättern hinabfielen.

»Warum lächeln Sie?«, fragte Irina Eisenstein. Der asketische Endvierziger mit den schütteren Haaren und dem ausgeprägten Kinn hatte auf sie bislang einen überaus konzentrierten Eindruck gemacht. Ein Lächeln war das Letzte, was sie von ihm erwartet hätte.

»Pardon, ich erinnerte mich gerade an etwas Privates. Tut nichts zur Sache.«

»Dann zurück zu meiner Frage. Um was für ein Lokal handelte es sich dabei?«

»Eine ganz normale Studentenkneipe. In Münsters Altstadt gibt es davon so einige. Aber es gab nur ein Lokal, in dem eine Frau wie Gitte jobbte. Als Aushilfskellnerin neben ihrem Lehramtsstudium. Jeder von uns vier mochte sie sofort.«

»Eine hübsche Studentin also ...«, lächelte Irina.

Der Kopf des Leitenden Kriminaldirektors bewegte sich langsam, deutete ein Nicken an.

»Und war jemand von Ihnen bei der Dame erfolgreich?«

»Steffen hat uns andere alle ausgestochen. Elf Monate nach unserem Studienabschluss haben die beiden geheiratet. Wir leer Ausgegangenen sind selbstverständlich alle zur Hochzeit nach Berlin gekommen.«

»Und seitdem treffen Sie sich regelmäßig?«

»Richtig. Steffens und Gittes Hochzeit war sozusagen der Beginn unserer halbjährlichen Meetings. Das geht immer reihum. Nur wir Männer. Ohne unsere Frauen.«

»Und diesmal war turnusmäßig Herr Reifenberg mit der Organisation dran?«

Max Hartl saß jetzt sehr gerade, ohne sich anzulehnen, aufmerksam wie ein Musterschüler. Er lächelte schmallippig.

»Eigentlich erst beim nächsten Mal. Doch wegen der Berliner Tagung haben wir umgestellt. Steffen hat für uns eine Radtour durch den Naturpark Schlaubetal und den Spreewald organisiert. Mit zünftiger Selbstversorgung und Übernachtung im Freien. Wie es sich für Naturburschen eben gehört.«

»Wie sind diese Tage verlaufen? Waren sie harmonisch

oder gab es irgendwelche … ungewöhnlichen Vorfälle oder Ähnliches?«

Hartl schien nach einer Antwort zu suchen, sprach dann zögernd: »Unsere Treffen sind immer harmonisch. Wir streiten uns nie. Wir necken höchstens mal einen von uns. Aber auch das geht reihum, da kommt jeder mal dran.«

»Und Herr Walcha hat sich auch so wie immer benommen? Oder hatten Sie den Eindruck, dass er irgendwie anders war? Unter Stress stand oder so?«

»Nein. Mir ist nichts aufgefallen.« Hartl sprach mit monotoner, fast matter Stimme, als machte ihn jede einzelne Silbe müde. »Er war ganz der Alte. Gestern haben wir alle ein bisschen zu viel getrunken. Letzter Abend und so … René hat gelacht und Witze gemacht. Wie immer. Er war nicht gerade der Lauteste, aber das bin ich auch nicht.«

»Als Sie vier sich schlafen gelegt haben, gab es da besondere Vorkommnisse?«

»Nein. Wenn man davon absieht, dass René angetrunken war. Aber das waren wir anderen auch.«

»Halten Sie es für möglich, dass Ihr Freund eine Waffe mit auf die Radtour genommen hat, dass die sichergestellte Pistole Herrn Walcha gehört?«

Max Hartls Blick ging durch Irina hindurch, es arbeitete in ihm, als würde ihm gerade eine Erkenntnis kommen. »Sie vermuten, dass René sich umgebracht hat?« Hartl schüttelte widerstrebend den Kopf. »Ist das Ihr Ernst?«

»Sie wissen doch, dass wir in so einem frühen Stadium nichts ausschließen können.«

»Sie haben meinen Freund nicht gekannt.«

Irina spürte, dass ihr Gegenüber sich mühsam zusammenriss. Offensichtlich wüteten in ihm widerstreitende Gefühle, die er kaum kontrollieren konnte.

»Dann käme ein Suizid für Sie aus heiterem Himmel?«, versuchte Irina, ihn aus der Reserve zu locken. »Sie haben für so etwas keinerlei Anzeichen bemerkt? Trifft das zu?«

Hartls Gesichtsausdruck wurde noch starrer und Irina bemerkte, dass seine Augen einen feuchten Schimmer bekommen hatten.

»Ich muss mir wahrscheinlich den Vorwurf machen, dass ich in den vergangenen Tagen nicht richtig hingesehen habe. Oder ich bin durch meine Arbeit einfach schon zu sehr abgestumpft. Vielleicht will ich in meinem direkten Umfeld solche Dinge gar nicht wahrnehmen. Diesen Vorwurf muss ich mir wohl machen.«

11

»Wir wurden von unseren Lehrkräften und den anderen Kommilitonen nur die Viererbande genannt.« Steffen Reifenberg lehnte sich zurück und blinzelte Wilbert Täubner durch seine leicht getönten Brillengläser an. »Sagt Ihnen der Begriff überhaupt noch was?«

Der Kommissar unterdrückte ein Lächeln. Er durchschaute Reifenbergs Spielchen. Der Leitende Kriminaldirektor versuchte offensichtlich, den »jungen unerfahrenen Kommissar« durch seine intellektuelle Brillanz einzuschüchtern.

»Das war doch diese Gruppe radikaler Funktionäre in der chinesischen KP, die während der Kulturrevolution versucht hat, die Macht an sich zu reißen«, entgegnete Täubner.

Reifenberg verzog das Gesicht. Es schien ihn zu ärgern, dass er sein Gegenüber durch die Frage nicht aus dem Konzept gebracht hatte. »Ein Mann mit Bildung, schau an ...«, presste er hervor.

Täubner fuhr fort, als hätte er die despektierliche Bemerkung nicht gehört. »Haben Sie und Ihre Freunde etwa Ähnliches versucht?«

»Natürlich nicht. Wir waren allerdings auch ein ziemlich eingeschworener Haufen, gegen uns kam so leicht niemand an.«

»Deswegen haben Ihnen die Kommilitonen damals den Namen Viererbande verpasst?«

»Sicher, es war aber nicht böse gemeint«, ein blasiertes Lächeln huschte um Reifenbergs Mundwinkel. »Im Grunde steckte eine Menge Bewunderung dahinter.«

Einen Moment lang betrachtete der junge Kommissar den älteren Kollegen schweigend. Trotz der Freizeitkleidung machte Reifenberg einen eleganten Eindruck. Er hatte einen gepflegten gestutzten Bart, volle gewellte Haare und trug eine modische Designerbrille. Die Gestik war kontrolliert und bestimmend, er sprach reinstes Hochdeutsch ohne jegliche mundartliche Färbung. Sein Auftreten vermittelte ganz klar, dass er sich seiner dominanten Position in jeder Situation bewusst war.

»Wie drückte sich diese Eingeschworenheit denn aus?«

Reifenberg nippte kurz an der Cola, die vor ihm stand. »Eingeschworenheit ist vielleicht nicht die richtige Bezeichnung. Wir hockten eben Tag und Nacht zusammen, haben die Freizeit gemeinsam verbracht und eine Weile die Wohnung geteilt. Und uns so zwangsläufig von den anderen Kommilitonen absentiert.«

»Ihre Freundschaft ist nach dem Studium nie abgerissen …«

»Sie hält bis heute. Auch wenn es uns nach dem Abschluss in alle Himmelsrichtungen verschlagen hat. Wir treffen uns regelmäßig zu einem verlängerten Wochenende. Zwei Mal im Jahr klappt das immer.«

»Haben Sie eigentlich auch auf der beruflichen Ebene miteinander zu tun?«

»Kaum, ganz selten mal.« Reifenberg sah auf die teure Schweizer Uhr an seinem Handgelenk. »Meistens bei Veranstaltungen wie dieser Tagung im Landeskriminalamt, die jetzt stattfindet.«

»Wie ist denn die Fahrradtour verlaufen? So wie Ihre sonstigen Treffs? Oder war diesmal etwas anders?«

»Nicht dass ich wüsste. Ich habe jedenfalls nichts Ungewöhnliches bemerkt. Es war wie immer.«

»Und René Walcha? War an ihm etwas … etwas anders als bei Ihren vorherigen Treffen?«

»Gute Frage«, Reifenbergs Stimme klang plötzlich tonlos, er sprach, als habe er seine Worte auswendig gelernt. Dabei hielt er seinen Blick auf Täubners Gesicht gerichtet wie auf das Antlitz eines Prüflings im Examen. »Natürlich verändern sich Menschen, aber … Wir vier uns eigentlich kaum. Ich würde schon sagen, dass wir uns alle treu geblieben sind.«

»So was geht? Da habe ich in meinem Leben eine andere Erfahrung gemacht. Es sind ja immerhin fast zwanzig Jahre seit Ihrem Abschluss vergangen. Eine lange Zeit im Leben eines Menschen.«

Über Reifenbergs Lippen huschte ein selbstgefälliges Lächeln, er nahm schweigend die Brille ab. Seine vom hellen Licht überraschten Lider zuckten, während er gelangweilt die Gläser putzte. »Das mag bei Ihnen so sein. Aber meine Freunde und ich, wir vertreten im Grunde noch immer die gleichen Ansichten, stehen für dieselben Positionen wie damals ein. Verantwortung, Respekt und Füreinander da sein. Komme, was da wolle. Vermutlich kennt Ihre Generation das gar nicht mehr.«

»Haben Sie eine Idee, wer Ihren Freund getötet haben könnte?«

»Steht es denn bereits fest, dass es Mord war und keine Selbsttötung?«

»Bis jetzt ist noch alles offen. Würden Sie René Walcha denn einen Suizid zutrauen?«

»Ich weiß es nicht … Er war immer ein sehr gefestigter Mensch. So habe ich ihn jedenfalls kennengelernt …«

»Ist es für Sie vorstellbar, dass sich Ihr Freund im Laufe der Zeit zu einem anderen Menschen entwickelt hat und Sie es nicht mitbekommen haben?«

Reifenberg starrte auf die Tischplatte, sagte kein Wort, zuckte nicht mit der Wimper, rührte sich nicht. Die Miene war undurchdringlich.

»Oder schien Ihnen Herr Walcha schon während Ihrer Studienzeit suizidgefährdet?«, hakte Täubner nach.

»Was soll dieser Unsinn?« Reifenberg funkelte Täubner wütend an.

»Ich versuche herauszufinden, wie Sie den mentalen Zustand Ihres Freundes einschätzen. Damals und heute.«

»Dann stellen Sie mir gefälligst Fragen, die sich nicht nach pubertärem Räuber-und-Gendarm-Spiel anhören.«

Täubner verschlug es die Sprache.

Reifenbergs Lächeln verriet kaum verhehlte Genugtuung, weil er den Youngster endlich verunsichert hatte.

»Dann noch einmal in Ihnen genehmeren Worten«, riss sich Täubner zusammen. »Haben Sie irgendwann einmal ein, wenn auch noch so ein kleines, Anzeichen dafür gefunden, dass Herr Walcha sich möglicherweise mit Suizidgedanken herumschlug?«

»Das genau frage ich mich, seit ich ihn heute früh am Ufer liegen sah. Was ist bloß passiert, dass René so einen Schritt gegangen ist? Ich habe darauf keine Antwort. Offenbar kannte ich ihn doch nicht so gut, wie ich immer geglaubt habe. Ich hätte vielleicht das Gespräch mit ihm suchen sollen.«

Täubner hätte am liebsten geantwortet: Und warum haben Sie es dann nicht gemacht, Sie arrogantes Arschloch?

12

Der Beamte, der Lutz Büchler beaufsichtigt hatte, balancierte zwei Becher durch den Flur, betrat das Vernehmungszimmer und stellte sie vor Martin Nettelbeck auf den Tisch.

»Danke, Kollege«, sagte der.

Der Beamte verließ den Raum und schloss die Tür hinter sich.

Nettelbeck nahm den Becher mit Kamillentee, obwohl er Kräutertee hasste. Den Becher mit Kaffee schob er seinem Gegenüber auf der anderen Tischseite zu. Lutz Büchler war mittelgroß, hatte die grau melierten Haare straff zurückgekämmt und bestimmt zwölf Kilo Übergewicht. Unter den Speckpolstern konnte man aber immer noch geballte Muskelkraft ahnen. Wahrscheinlich hatte er jahrzehntelang Krafttraining betrieben. Auch er trug immer noch die Freizeitkleidung, die er während der Radtour getragen hatte. Eine altmodische Cargojeans mit unzähligen Seitentaschen, ein rot-blau kariertes Hemd mit aufgekrempelten Ärmeln und geschlossene Sandalen. Büchler wirkte nicht wie ein leitender Kriminaldirektor, sondern wäre problemlos als Möbelpacker durchgegangen.

Nettelbeck warf der Angestellten im Schreibdienst, die an einem zweiten Tisch zum Protokollieren vor ihrem Laptop saß, einen Blick zu und sie nickte.

»Schön, fangen wir an. Seit wann kennen Sie die drei anderen Herren?«

»Wir haben uns alle zur selben Zeit getroffen«, sagte Büchler mit bedächtigem Tonfall, der seinen Worten einen gemütlichen Anstrich gab. Ganz so, als säßen er und Nettelbeck in einer Straußwirtschaft bei einem Viertel Wein. »1996 in Münster. An der Polizeiführungsakademie. Seit ein paar Jahren heißt sie ja offiziell ›Deutsche Hochschule der Polizei‹.«

»Dort haben Sie alle vier gemeinsam studiert?«

»Bis zu unserem Abschluss. Das war im Sommer 1997.«

»Sie sprechen von der Ausbildung für den höheren Polizeivollzugsdienst als Kriminalratsanwärter, ja?«

»Richtig. Wie haben uns von Anfang an bestens verstanden. Alle vier. Als hätten wir uns gesucht und gefunden. So etwas habe ich vorher und nachher nicht erlebt.« Büchler sah den Kommissar mit hellen Augen an, in denen trotz des ernsten Anlasses der Schalk blitzte. »Kommt wohl auch selten vor, bei vier so unterschiedlichen Typen.«

»Was genau meinen Sie mit unterschiedlich?«

»Dass ein Bayer, ein Sachse, ein Berliner und ein Pfälzer auf einer Welle liegen, ist doch nicht alltäglich. Bei den andersartigen Temperamenten. Ich zum Beispiel bin ja mehr die Frohnatur, verstehen Sie? Während Max richtiggehend wortkarg ist. Maulfaul nennt man das da, wo er herkommt.« Büchler seufzte und schüttelte den Kopf wie jemand, der plötzlich den Faden verloren hat.

»Und Ihre anderen beiden Freunde?«, fragte Nettelbeck.

»Steffen ist ein typischer Berliner«, grinste Büchler. »Hat eben diese sprichwörtliche Berliner Schnauze. Aber wenn man ihn näher kennenlernt, merkt man schnell, dass er das Herz auf dem rechten Fleck hat. Sie als Berliner kennen das doch: Mir kann keener!«

Der Kommissar ließ sein Gegenüber nicht aus den Augen. Er spürte bei Büchler eine verhaltene Sensibilität, die überhaupt nicht zu seinem burschikosen, hemdsärmeligen Auftreten passte.

»Und was für ein Mensch war René Walcha?«, fragte Nettelbeck.

»Ein richtig feiner Kerl. Vielleicht der netteste von uns allen. Wenn ich überhaupt etwas an ihm zu kritisieren hätte, dann ...«, Büchlers Augenlider zuckten, und seine Hand spielte mit Nettelbecks Kugelschreiber, den er, ohne es zu merken, genommen hatte, »... dann möglicherweise seinen Hang zum Grübeln. Dazu neigte René eben manchmal. Vermutlich mit ein Grund, warum er es getan hat.«

»Sie glauben, dass er Suizid begangen hat? Wieso? «

Büchler presste die Zähne zusammen. »Okay, es kann natürlich auch Mord gewesen sein. Obwohl wir dann doch etwas hätten mitbekommen müssen. Wir lagen schließlich nur ein paar Meter entfernt ...«

»Gab es denn im Vorfeld die üblichen Anzeichen für eine Suizidgefährdung? Hatte Ihr Freund Depressionen? Nahm er nicht mehr am sozialen Leben teil? Fehlte ihm eine Zukunftsperspektive?«

»Na ja, schwer zu sagen ...«

»Hat er mit Ihnen vielleicht über solche Dinge gesprochen?«

»Andeutungsweise. Vielleicht. Jetzt im Nachhinein betrachtet ...«

»Ja ...?«

»René war irgendwie stiller als sonst. Ich spürte bei ihm eine ... irgendwie eine Traurigkeit. Aber ich habe es nicht für so wichtig genommen.«

»Haben Sie bei ihm schon früher einmal Stimmungs-

schwankungen bemerkt, die auf eine mögliche Suizidgefährdung hinweisen?«

»Nein, aber wenn es kein Suizid war … Ein Mord ergibt
für mich keinen Sinn. Nicht unter den Umständen, verdammt! So was hätte man in Leipzig doch erheblich kom-
moder durchführen können.«

Nettelbeck antwortete nicht sofort, trank stattdessen einen Schluck Kamillentee. »Man kann einen Mord auch irr-
tümlich als Suizid einstufen, wenn bestimmte Anzeichen
falsch interpretiert werden«, sagte er schließlich.

»Wovon reden Sie?« Blücher starrte Nettelbeck an, auf
einmal hellwach und konzentriert. »Hat die Spurensicherung
etwas Entsprechendes gefunden?«

Nettelbeck ignorierte die Frage. »Ein Täter hätte zum
Todeszeitpunkt völlig freie Hand gehabt. Sie waren alle
angetrunken, haben vermutlich wie die Steine geschlafen.
Und was den Kreis der Verdächtigen angeht … Im Radius
von fünfhundert Metern des Leichenfundortes haben sich
mindestens achtzig Menschen aufgehalten.«

»Trotzdem … Wer sollte dafür einen Grund gehabt haben?«

»Ist Ihnen der Gedanke an Mord wirklich nicht gleich gekommen?«

»Nein. In keinster Weise.«

Doch ein kurzes Aufleuchten in den Augen seines Ge-
genübers zeigte Nettelbeck, dass seine Frage nicht daneben
gezielt hatte.

13

Nadine Lemmnitz stieg am Alexanderplatz aus der Tram und lief in Richtung Fernsehturm. Sie grinste, als sie an der Weltzeituhr vorbeikam. Dort hatte sie sich mit Elmar getroffen, um ihn zum Sex auf den Parkplatz zu locken. Er war so scharf gewesen, dass er wie ein pickeliger Teenager hinter ihr hergedackelt war. Hatte sich überhaupt nicht gewundert, warum er zum Ficken bis nach Hellersdorf fahren sollte. Wo es bereits stockdunkel war und sie es in seinem Wagen in der nächstbesten Straße hätten tun können. Nadine konnte ihre Männerbekanntschaften zwar an einer Hand abzählen, aber dass ein Kerl unzurechnungsfähig war, wenn er nur noch mit seinem Schwanz dachte, hatte sie bereits bei dem allererersten ihrer drei Versagertypen gelernt.

Auf dem Parkplatz des Baumarkts hatte sich Petra hinter einem Müllcontainer versteckt gehalten. Während der Fahrt nach Hellersdorf hatte Nadine Elmar noch schärfer gemacht, ihm in einer Tour vorgeplappert, dass er sie auf der Kofferraumhaube richtig geil durchknallen solle. Ihr Typ würde es nämlich echt nicht mehr bringen. Sie bräuchte endlich mal wieder einen richtigen Hengst. Und der Arsch hatte den Scheiß wirklich geglaubt. Als sie mit gespreizten Beinen auf dem Nissan lag und Elmar an seinem Hosenschlitz nestelte, war Petra aus ihrem Versteck gekommen und hatte ihm eine Garrotte um den Hals gelegt. Ehe Elmar die Situation durchschaute, zappelte er schon mit allen Gliedmaßen und dann war Totenstille. Sie hatten ihn in den Container geworfen, mit Abfall bedeckt und sich dann lange und innig geküsst. Anschließend waren sie in den Wagen gestiegen und zu Petra gefahren. Und dort ging dann der richtige Sex ab. Der einzig gute und wahre.

Den ganzen Sonntag waren sie im Bett geblieben, hatten sich geliebt und Pläne geschmiedet. Florida oder Karibik standen zur engeren Wahl. Hauptsache, es war immer schön warm. Und weit, weit weg von diesem Scheißdeutschland. Am Montagnachmittag war Petra vor der Spätschicht zur Polizei gegangen und hatte eine Vermisstenanzeige aufgegeben.

Die Zukunft schimmerte in rosigen Farben, bis die Kripo am Mittwochmorgen in die Fabrik kam und sie beide verhaftet hatte. Die Beweislage war erdrückend. Es gab mehrere Zeugen, man konnte den Wagen identifizieren und Nadines und Elmars Chatprotokolle lagen vor. Alles sprach gegen sie. Aus der Traum vom Leben unter ewiger Sonne.

Immerhin war das Leben in der JVA Lichtenberg einigermaßen okay. Für Nadine. Petra ging daran zugrunde. Allerdings nicht sofort. Es begann im Februar 2010, als der Bulle in den Knast gekommen war, der sie zwei Jahre zuvor verhaftet hatte.

Er wollte mit Petra über ihren toten Ehemann sprechen. Der Bulle behauptete, man hätte bei einem länger zurückliegenden Einbruch belastende DNS-Spuren gefunden, die man jetzt Elmar Hennecke zuordnen könne. Der Bulle stellte Petra eine Menge Fragen, von denen sie kaum eine befriedigend beantwortete. Er vermutete, dass Petra selbst an dem Einbruch beteiligt gewesen sei. Schließlich zog er ab und ließ sich nie mehr in der JVA blicken. Aber ihre wunderbare Petra bekam anschließend unerträgliche Kopfschmerzen, die trotz vieler Tabletten nicht nachließen. Sie kam auf die Krankenstation und musste eine Reihe von Untersuchungen über sich ergehen lassen. Dann stand die Diagnose fest: Petra hatte ein Glioblastom, einen bösartigen Gehirntumor.

Er war weit fortgeschritten und unheilbar. Die Ärzte gaben ihr noch ein knappes Jahr. Falls sie sofort mit Bestrahlungen und der Chemotherapie anfangen würde. Andernfalls hätte sie vielleicht noch maximal zwei Monate zu leben.

In einem Kiosk im Untergeschoss des Fernsehturms kaufte Nadine sich ein Päckchen Zigaretten und zündete eine an. Die Behandlung war grausam gewesen. Petra verlor Gewicht, ihre wunderschöne, rosige Haut wurde fleckig und grau, die Haare fielen ihr aus. Im Herbst verschlechterte sich ihr Zustand dramatisch. Der Tumor war so groß geworden, dass Petra sich aus eigener Kraft nicht mehr bewegen konnte. Ihr Anwalt beantragte für sie eine Haftunterbrechung, eine Verlegung in ein Pflegeheim mit Palliativmedizin in Brandenburg. Doch die Staatsanwaltschaft Berlin lehnte ab. Zunächst müsse ein externer Gutachter entscheiden, ob von der Gefangenen Petra Hennecke nicht noch Gefahr ausgehe. Der Anwalt reichte eine Dienstaufsichtsbeschwerde gegen die zuständige Staatsanwältin ein. Aber die Senatorin für Justiz nahm die Staatsanwältin in Schutz, fand es absolut nachvollziehbar, dass diese sich nicht auf die Stellungnahme eines Gefängnisarztes verlassen wollte. Es dauerte bis Anfang Dezember, ehe das entsprechende Gutachten bei der Staatsanwaltschaft eintraf. Darin wurde eine vorübergehende Aussetzung der Haft ausdrücklich befürwortet. Am Morgen des 10. Dezember stellte man der JVA Lichtenberg die staatsanwaltliche Erlaubnis zur Haftunterbrechung zu. Fünf Stunden zuvor war Petra gestorben.

Seit dem 10. Dezember dachte Nadine ständig an Petra. Jeden Tag. Und an den Mann, der für ihren Tod verantwortlich war. Sie musste ihn finden, irgendwie an ihn herankommen. Und wenn es das Letzte war, was sie in ihrem Leben tun würde. Sie hatte bei ihrem Anwalt angerufen, um den Namen des Bullen zu erfahren, doch der Jurist war im Urlaub. Also warten. Darin war sie Spitzenklasse. Das hatte sie auch im Knast gelernt.

Ein Bus hielt an der Marienkirche. Nadine nahm noch einen tiefen Zug, dann warf sie die Zigarette fort. Als sie am Fahrereinstieg angekommen war, schlossen sich die Türen vor ihrer Nase. Sie klopfte an die Scheibe, doch der Fahrer grinste sie höhnisch an und fuhr los.

Verdammtes Wichserarschloch!, dachte sie, dann musste sie lachen. Drauf geschissen, nehme ich eben den nächsten Bus.

14

Nach den Vernehmungen hatten die drei Kriminaldirektoren das Bedürfnis, ein paar Schritte zu Fuß zu gehen. Jetzt saßen sie vor einem Café am Breitscheidplatz und ließen die vergangenen Stunden Revue passieren. Alle stellten sich die gleiche Frage: War es Mord oder Suizid? Doch warum sollte ihr alter Freund eine Selbsttötung begangen haben? Ausgerechnet René, der immer so in sich geruht hatte. Welchen Grund könnte er für Suizid gehabt haben? Und wenn es zutraf, wieso hatte er es dann ausgerechnet am Ende ihrer Fahrradtour gemacht? Was hatte er damit bezweckt?

»Ich glaube nicht an Suizid«, sagte Büchler aufgebracht. »René hätte uns nicht damit belastet. Die Berliner Kollegen sollen erst mal die Spuren gründlich untersuchen. Dann finden sie auch den Täter.«

»Ich stimme dir zu«, sagte Reifenberg und schaute der Kellnerin hinterher, die in kurzem Rock und mit wippendem Gang schmutziges Geschirr ins Lokal brachte. »Ist aber logisch, dass sie auch in Richtung Suizid ermitteln. Täten wir genauso.«

»Weiß ich nicht«, Hartl verschränkte die Arme vor der Brust. »Ich habe bei der Vernehmung jedenfalls klargemacht, dass René für so was nicht der Typ war.«

Büchler und Reifenberg nickten.

»Und wenn er doch Probleme hatte, von denen wir nichts wussten?«, fragte Reifenberg leise. Er wirkte jetzt nicht mehr arrogant wie in seiner Vernehmung, sondern weich und offen, wie ihn seine beiden Freunde privat kannten. »Eine unheilbare Krankheit vielleicht. Was meint ihr?«

»Daran habe ich auch schon gedacht«, Büchlers Gesicht verdunkelte sich. »Oder Geldprobleme, extreme Schuldgefühle, wegen was auch immer. Etwas, das ihn immer stärker unter Druck gesetzt hat, bis René keinen Ausweg mehr sah.«

Hartl schüttelte den Kopf. »Nein. Ausgeschlossen. Das hätten wir erkennen müssen. Außerdem waren wir fast zwanzig Jahre befreundet, René hätte uns jederzeit ansprechen können. Jeden von uns.«

»Vielleicht stand er emotional zu sehr unter Druck«, sagte Reifenberg.

»Davon habe ich in den letzten Tagen aber nichts mitbekommen«, Büchler hieb sich wütend mit der Faust auf den Oberschenkel. »Nein, René wusste, dass er zu hundert Prozent auf uns zählen konnte. Egal, worum es sich handelte.«

»Im letzten Frühjahr hatten wir ein Seminar zu dem Thema. Suizidprävention für Führungskräfte«, erklärte Hartl. »Es ging darum, dienstliche Schwierigkeiten wie Mobbing, Ausgrenzung, Überforderung, Versagensängste oder Perspektivlosigkeit möglichst früh zu erkennen. Keine der dort gemachten Anzeichen waren bei René auszumachen.«

»Man kann aber nur entsprechende Maßnahmen ergreifen, wenn man eine Selbsttötungstendenz als solche auch identifiziert«, entgegnete Büchler.

»Genau. Lässt sich das wirklich immer so leicht erkennen?« Reifenberg schaute seine Freunde bedrückt an. »Wenn jemand die Entscheidung für Suizid endgültig getroffen hat und es kein Zurück mehr gibt, dann ... dann steht er vermutlich nicht länger unter Druck. Unter Umständen verfügt er plötzlich sogar wieder über eine positive Ausstrahlung.«

»Vielleicht hat René unsere Radtour ja als Abschied von seinem Leben begriffen und sie richtig genossen.« Hartl ließ den Blick von Reifenberg zu Büchler wandern. »Das wäre denkbar.«

»Selbstmordgefährdete Menschen sind Meister im Verbergen, habe ich mal irgendwo gelesen«, sagte Büchler und grinste plötzlich breit. »Die meisten Männer machen aus ihrer Psyche sowieso ein wahres Staatsgeheimnis, wenn ihr mich fragt. Man könnte ja als Schwächling angesehen werden, wenn man seelische Probleme zugibt.«

»Stimmt«, nickte Max Hartl. »Diese Ansicht ist gerade in unserer Sparte weitverbreitet. Wir definieren uns doch alle zu einem Großteil über berufliche Leistung.«

»Aber es gibt ja auch nicht wahnsinnig viele Ansprechpartner, an die sich ein Polizeibeamter wenden kann«, sagte Reifenberg und trank sein Glas Wein aus.

»Ich frage mich, ob ich ebenfalls eine Pistole genommen hätte, um meinem Leben ein Ende zu setzen«, sagte Büchler. »Frauen werfen sich wohl eher vor einen Zug. Ist statistisch bewiesen.«

»René konnte wahrscheinlich nicht mehr rational entscheiden. Sah vermutlich nur noch ...« Reifenberg brach ab und schaute zur Straße, wo ein SUV einparkte. Am Steuer saß eine attraktive Mittvierzigerin. »Gitte ist da. Bitte sagt ihr noch nichts davon, ich muss sie erst behutsam auf Renés Tod vorbereiten.«

Büchler und Hartl nickten.

»Dann: Lächeln!«

Alle drei bemühten sich um heitere Mienen.

Brigitte Reifenberg stieg aus, kam zu den Männern und begrüßte alle vertraulich.

»Wo ist René?«, fragte sie.

»Der ist verhindert.« Reifenberg legte den Arm um seine Frau und griff in seine Jackettinnentasche.

»Lass mal stecken, ich übernehme alles«, sagte Hartl.

»Danke.«

»Kommt doch morgen Abend alle zu uns zum Essen«, sagte Brigitte Reifenberg. »Wie wäre das?«

»Machen wir.«

»Gerne.«

»Dann sehen wir uns um neun bei der Tagung.« Reifenberg nickte seinen Freunden zu, stieg zu seiner Frau in den Wagen und sie fuhren davon.

Max Hartl und Lutz Büchler sahen ihnen hinterher.

»Dünn ist Gitte geworden.«

»Habe ich auch gedacht. Wirkt richtig verhärmt.«

»Ja … Ich möchte ihr das mit René nicht sagen.«

»Nein. Erinnerst du dich, wie scharf er auf sie war?«

»Genau wie du!«

»Für diese Unverfrorenheit zahlst du jetzt noch zwei Bier«, sagte Hartl.

Nadine saß im Oberdeck des 100er-Busses, der an vielen touristischen Highlights in Mitte und City West vorbeifuhr. Doch sie hatte kein Interesse an Sightseeing. Ihre Augen waren geschlossen und sie ließ die Bilder fließen. Sah ihre wunderschöne Petra. Nadine bedauerte, dass Petra und sie niemals verreist waren. Es gab kein Bild in ihrem Inneren, das sie und ihre geliebte Freundin an einem Sandstrand unter Palmen zeigte. Keins von ihnen beiden vor dem Eiffelturm, keins von einer Gondelfahrt in Venedig. Die meisten zeigten Petra im Spritzgießwerk oder in dem Imbiss, in dem sie sich getroffen hatten. Und auf den anderen trug sie Gefängniskleidung.

Sie hatten auch im Knast ihre Liebe gelebt. Reduziert und unauffällig, erotische Momente hatte es selten gegeben. Aber bis zu Petras Erkrankung waren sie sich unendlich nah gewesen. Bis der Tumor alles zerstört hatte und Petra ihr immer mehr entglitt.

Das verübelte sie dem Bullen am meisten. Dass er ihr Petra schon vor dem Tod entrissen hatte. In der JVA Lichtenberg hatte sich Nadine immer genau an die Vorschriften gehalten, schon Petra zuliebe, um ihr den Aufenthalt dort nicht noch schwerer zu machen. Der Anwalt hatte Nadine deshalb Hoffnung gemacht, wegen guter Führung vorzeitige Haftentlassung beantragen zu können. Aber als man ihre Geliebte qualvoll verrecken ließ, brach es aus Nadine heraus: der ganze Frust, die Enttäuschung, das Elend und der Hass. Wegen eines unbedeutenden Anlasses griff sie eine Wärterin an und bedrängte sie massiv. Sie bekam dreiwöchigen Arrest, der Antrag auf vorzeitige Haftentlassung hatte sich erledigt.

Nachdem sie die Disziplinarmaßnahme über sich ergehen hatte lassen, wies man Nadine eine neue Arbeit zu, in der Gefängnisgärtnerei. Die Arbeit mit Pflanzen gefiel ihr und hier war sie allmählich zur Ruhe gekommen. Das hatte sie zum großen Teil Kerstin Reinke zu verdanken, die ein halbes Jahr nach Petras Tod in der JVA inhaftiert wurde. Wegen gewerbsmäßigen Betrugs in hundertsieben Fällen war sie zu einer Haftstrafe von drei Jahren und sechs Monaten verurteilt worden. Kerstin hatte im Internet Waren bestellt, ohne sie zu bezahlen. Der Schaden summierte sich auf mehrere Zehntausend Euro. Da Kerstin Wiederholungstäterin war, kam eine Bewährung nicht infrage. Nadine freundete sich mit der rothaarigen Zweiundvierzigjährigen an. Es war zwischen ihnen beiden nichts Sexuelles, Kerstin stand nur auf Typen, aber sie hatte eine mütterliche Art, die Nadine ausgesprochen guttat. Sie konnte mit ihr über Petra reden und so den Tod ihrer Geliebten langsam verarbeiten.

Kerstin war neun Monate vor Nadine entlassen worden und zu einem Kerl namens Kai gezogen, mit dem sie im Gefängnis eine Brieffreundschaft angefangen hatte. Die Frauen waren aber in Kontakt geblieben und Kerstin hatte Nadine eingeladen, sie in ihrer Wohnung im Wedding zu besuchen. Seit sie entlassen war, hatte Nadine wiederholt an einen Besuch gedacht, aber sie verspürte nicht die geringste Lust, Kerstins Freund kennenzulernen. Bislang hatten die Typen ihrer Freundinnen ihr immer nur massiven Ärger gemacht. Besser, es nicht drauf ankommen lassen.

16

Obwohl Nettelbeck sich beschissen fühlte und am liebsten sofort hingelegt hätte, erklärte er sich notgedrungen bereit, mit seinen beiden Kollegen noch schnell die Vernehmungsprotokolle durchzugehen. Der Kommissar hatte Irina Eisenstein an seinem Schreibtisch Platz gemacht und lehnte am Fenster. Er überlegte, ob er nach Dienstschluss bei seinem Hausarzt vorbeifahren und sich eine dieser Monstervitaminspritzen verpassen lassen sollte. Angeblich halfen die Dinger ja. Andererseits war eine Sommergrippe keine lebensbedrohliche Krankheit und er sollte sich vielleicht wirklich auf Philomenas Heilkünste verlassen. Bei dem Gedanken an Wadenwickel und einer Schwitzkur wurde ihm allerdings ... Sein Gedankengang wurde durch Irina unterbrochen, die durch die Vernehmungsprotokolle von Büchler, Hartl und Reichenberg scrollte.

»Sekunde, ich lese euch die Stelle vor ... Frage: Hat Ihr Freund René Walcha in letzter Zeit etwas über berufliche Probleme erzählt, Herr Hartl? Sie sagten, dass Sie zwischen Ihren halbjährigen Treffen hin und wieder telefoniert haben. Antwort: Ja, er hat mich vor etwa vier Monaten spät nachts angerufen. Es ging um irgendeine Baugeschichte. Was genau wurde nicht klar. Frage: Und wie haben Sie reagiert? Antwort: René war ziemlich betrunken und ich habe ihm gesagt, er solle schlafen gehen. Frage: War das alles? Antwort: Ich habe ihn am nächsten Tag in seinem Büro angerufen, aber da war es auf einmal nicht mehr wichtig. Wir haben später nie mehr darüber gesprochen.«

»Ich habe vorhin mit Roger Delbrück telefoniert. Er kennt

Walcha schon seit Jahren, hat ihn hin und wieder persönlich getroffen.«

»Habt ihr auch über seine persönlichen Verhältnisse gesprochen?«, fragte Irina. »War Walcha verheiratet? Hat er Kinder?«

»Nein, ledig, er wohnte alleine. Von Kindern ist nichts bekannt. Roger meinte, dass Walcha hin und wieder Beziehungen zu Frauen hatte, die aber nie besonders lange liefen. Ich fahre morgen früh nach Leipzig und kläre diese Bausache. Dann frage ich die Kollegen gleich mal, wie es mit Geschwistern aussieht oder Freunden.« Nettelbeck trat hinter Täubner an den Schreibtisch. »Ruf bitte das Dezernat für Wirtschaftskriminalität Leipzig auf. Mal sehen, wen von den Kollegen ich dort kenne.«

Täubner fand im Intranet schnell das entsprechende Verzeichnis. Langsam ließ er die Namensliste der Dezernatsmitarbeiter über den Monitor laufen, sodass Nettelbeck mitlesen konnte. Er war bereits beim Buchstaben R angekommen, als der Hauptkommissar Stopp sagte.

»Daniel Rossner! Wer sagt's denn.« Nettelbeck übertrug die dazugehörige Telefonnummer in das Verzeichnis seines Smartphones und speicherte sie. Dann drückte er die Wahltaste.

»Hallo Daniel, hier spricht Martin Nettelbeck. – Stimmt, inzwischen sind fast schon zehn Jahre vergangen. – Du bist jetzt Kriminalhauptkommissar habe ich gerade gesehen. Prima. – Ja, Kriminaldirektor Walcha. Ich leite die Ermittlungen. – Im Moment ist noch nicht klar, ob es Mord oder Suizid war. – Es geht um eine Bauangelegenheit, mit der euer Chef befasst war. Du kannst mir vielleicht Näheres dazu sagen. – Muss nicht am Telefon sein. Ich komme auch gerne nach Leipzig. – Hast du morgen früh Zeit? – Wunderbar.

Kurz nach zehn im Hauptbahnhof? – Dann danke ich dir. Einen schönen Feierabend.«

Lächelnd steckte Nettelbeck sein Mobiltelefon weg. Irina und Täubner schauten ihn fragend an.

»Ich treffe mich morgen mit dem Kollegen Rossner. Er hat direkt mit Walcha zusammengearbeitet. Er wollte am Telefon nicht über diese Bausache reden. Könnte also mehr dahinterstecken.«

»Wie lange wird das in Leipzig dauern? Was schätzt du?«

»Ich fahre gleich morgen früh. Ich müsste gegen Mittag zurück sein.«

Täubner deutete auf eine Plastikschale, in der Walchas persönliche Dinge lagen: sein Ausweis, ein Smartphone, Geldbörse, Feuerzeug und Schlüsselbund. »Ich werde Achim Lebeck in Trab setzen. Der soll sich die Sachen mal ansehen.«

»Und ich hake bei der Gerichtsmedizin nach, damit wir schnellstens ein Ergebnis bekommen«, lächelte Irina.

»Außerdem sehe ich zu, dass wir das Protokoll von der Taucherstaffel kriegen«, setzte Täubner nach.

»Und ich schau mal, was ich über die vier Kriminaldirektoren sonst noch so an Informationen finde«, übertrumpfte ihn Irina. »Natürlich werde ich dabei äußerst diskret vorgehen, Martin.«

»Du machst auch ohne Quote deinen Weg, Irina«, grinste Nettelbeck. »Da bin ich mir absolut sicher.«

Die junge Ermittlerin strahlte ihren Freund an.

»Ich denke genauso. Selbstverständlich«, sagte Täubner. »Alles andere wäre gar nicht auszudenken.«

Irina Eisenstein nickte. Davon war sie ebenfalls überzeugt.

17

Steffen Reifenberg stand im Wohnzimmer und goss Single Malt in zwei Gläser.

Seine Frau Brigitte kam herein und schaute ihn fragend an. »Gibt es was zu feiern?«

»Nein«, Reifenberg hielt ihr ein Glas hin. »Setz dich und trink einen Schluck. Ich muss dir etwas sagen.«

Brigitte setzte sich auf die Couch und nippte an dem Scotch. »Möchtest du dich scheiden lassen?«

»Unsinn.« Steffen nahm ihr gegenüber Platz. »Viel schlimmer. René ist tot.«

»Was …?« Das Whiskyglas entglitt Brigitte Reifenbergs Hand und ergoss seinen hellbraunen Inhalt auf den cremefarbenen Berberteppich. »Das kann nicht sein. Unmöglich. Nein!«

»Reg dich bitte nicht auf, Gitte. Denk an dein Herz.«

»Wie ist das passiert? Wann war das?«

»Letzte Nacht. Er hat vermutlich Suizid begangen. Wahrscheinlich mit seiner Dienstwaffe.«

Brigitte Reifenberg war verwirrt, versuchte hilflos, den Whisky zurück in das Glas zu wischen, doch der war längst in dem dicken Wollgewebe versickert.

»Lass das doch, Gitte!«

»Wart ihr dabei? Max, Lutz und du?«

»Nein. Wir haben bereits geschlafen. René hat wohl extra so lange gewartet und ist dann heimlich zum Flussufer gegangen. Dort hat er sich eine Kugel in den Kopf gejagt.«

Brigitte Reifenberg sah ihren Mann an, hatte Tränen in den Augen. »Warum? Wieso hat er das gemacht?«

»Das fragen wir uns auch.« Steffen Reifenberg nahm ihr das Glas ab. »Möchtest du noch einen?«

»Nein.«

»Aber ich brauche das jetzt.«

Reifenberg ging mit den leeren Gläsern zu der Hausbar zurück und goss sich einen neuen Whisky ein.

In Brigitte Reifenbergs Gesicht arbeitete es. Es hatte den Anschein, als wollte sie etwas sagen. Doch dann verzichtete sie darauf und wischte sich nur die Tränen weg.

18

Nadine Lemmnitz stieg in den M49er-Bus, bei dem so gut wie alle Sitze belegt waren, obwohl er erst zwei Haltestellen zuvor gestartet war. Neben einer alten Frau fand sie doch noch einen freien Platz, setzte sich und schloss die Augen. Sie wollte die Bilder fließen lassen, doch sie flossen nicht. Nadine zwang sich zur Ruhe. Aber vor ihrem inneren Auge erschienen keine Bilder ihrer wunderschönen Petra, sondern nur ein diffuses Flackern. Was war das, was ging hier ab? Verwirrt öffnete sie die Augen und …

… und da sah sie ihn. Den Mann, nach dem sie die ganze Zeit gesucht hatte. Den Mann, der sie wegen Beihilfe zum Mord in den Knast gebracht hatte. Der für Petras Tod verantwortlich war. Der Bulle.

Er saß ihr direkt gegenüber und starrte durch sie hindurch. Mit seinen Gedanken ganz woanders. Ist er das wirklich?, fragte sich Nadine. Sie musterte ihn. Er war älter geworden, seit sie ihn das letzte Mal gesehen hatte. Inzwischen waren seine Haare an den Schläfen ergraut, er hatte ein paar Falten mehr im Gesicht. Aber er war es. Definitiv. Ein schlanker, eher unauffälliger Typ, von der Art, die oft unterschätzt wird.

Der Bulle schien sie nicht einmal zu bemerken, geschweige denn wiederzuerkennen.

Das war gut, das gab ihr einen entscheidenden Vorteil. Sie tastete nach dem Messer, das in einer Scheide steckte, die hinten an ihrem Gürtel befestigt war und die von ihrem T-Shirt verdeckt wurde. Es war ein Survivalmesser, das man nach dem Einsatzmesser des US-Marine-Corps gestaltet hatte. Die Klinge bestand aus Sleipner-Stahl, der für extrem hohe Druckfestigkeit und Korrosionsbeständigkeit bekannt war. Die Klingenstärke betrug 6,2 Millimeter und das Messer war zusätzlich mit einer schwarzen Mil-Spec-Beschichtung versehen worden, die unerwünschte Lichtreflexionen verhinderte. Es besaß einen kratzfesten Schaft aus glasfaserverstärktem Kunststoff. Die Griffmulden hatten einen für Nadines Finger idealen Abstand, sodass das Messer perfekt in ihrer Hand lag. Nadine hatte es von dem Überbrückungsgeld gekauft, das man ihr bei der Entlassung aus der JVA Lichtenberg ausgezahlt hatte. Ein echtes Killerteil, hatte ihr der schmuddelige Typ in dem Laden für Armeebekleidung und Outdoorbedarf in Neukölln mit leuchtenden Augen erklärt. Eine bessere Wahl könne sie nicht treffen. Er verzichtete sogar darauf, sich ihren Ausweis zeigen zu lassen.

Seit sie das Survivalmesser besaß, hatte Nadine sich ausgemalt, wie sie es dem Bullen in den Leib rammen würde. Den ersten Stich am besten seitlich platziert, unterhalb der Rippen, um ihn sofort in Schockzustand zu versetzen. Den zweiten in den Hals, um möglichst die Schlagader zu treffen. Den dritten dann direkt ins Herz. Der Stich ins Herz war ihr wichtig. Den würde sie auf alle Fälle machen, selbst wenn der Bulle schon vorher tot sein sollte. Dieser Stich war für sie persönlich. Der Bulle hatte ihr das Herz zerrissen und dafür würde sie ihm das seine zerstören.

Plötzlich schreckte der Bulle auf, sah sie an. Nadine fühlte sich durchschaut, doch er wandte den Blick sofort wieder ab, zog ein Mobiltelefon aus der Tasche, das leise summte. Er las eine eingegangene SMS und lächelte. Dann tippte er die Antwort.

Nadine stand auf und begab sich in den hinteren Teil des Busses. Weit genug weg, um außerhalb des Blickfeldes des Bullens zu sein, aber ausreichend nah, um ihn im Auge behalten zu können. Sie fuhren an drei weiteren Haltestellen vorbei, ehe er aufstand und das Fahrzeug an der Kuno-Fischer-Straße verließ. Im letzten Moment stieg auch Nadine aus.

Sie blieb kurz in einem Wartehäuschen stehen und tat so, als würde sie den Fahrplan studieren, dann folgte sie dem Bullen mit größerem Abstand. Er bog in eine Seitenstraße ein, die sich am Lietzensee entlangschlängelte. Ein schwarzer Junge lief ihm entgegen und wedelte mit seinem Mobiltelefon.

»Hast du meine SMS gelesen?«

»Klar, Mark Kojo. Ich habe dir doch sofort geantwortet«, der Bulle gab dem Jungen einen liebevollen Klaps auf den Hinterkopf. »Super Idee, mein Großer!«

Der Junge strahlte ihn an. Nebeneinander herschlendernd, passierten sie ein paar Mietshäuser. Dann blieben sie stehen. Vor ihnen erstreckte sich eine große Rasenfläche, auf der mehrere Kinder Ball spielten. Darunter auch ein hübsches, ebenfalls schwarzes Mädchen. Als sie den Bullen sah, ließ sie den Ball fallen und rannte auf ihn zu.

»Papa!«

»Efua Marie, wie geht noch mal *Engelchen flieg?* Weißt du das noch?«

»Jaaaaaa!«

Während der Junge in einem Hauseingang verschwand, nahm der Bulle die Kleine an den Händen und wirbelte mit ihr mehrmals um seine Achse. Sie kreischte fröhlich und er stimmte lachend ein. Dann setzte er sie wieder auf dem Boden ab. »Willst du weiterspielen oder kommst du mit mir?«

»Ich komme mit dir.«

Das Mädchen verabschiedete sich von seinen Spielgefährten. Dann ergriff es die Hand des Bullens und ging mit ihm ins Haus.

Nadine Lemmnitz hatte sich unterdessen auf eine Bank am Seeufer gesetzt und die Szene verfolgt. Efua Marie, dachte sie lächelnd, ein hübscher Name. Es war ja auch ein wirklich hübsches Mädchen. Sie konnte gut verstehen, dass der Bulle die Kleine liebte. Warum hatte er nur nicht kapiert, dass es ihr mit Petra genauso gegangen war? Dummer Bulle. Wirklich sehr dumm.

19

Martin Nettelbeck ging in die Küche und begrüßte Philomena Baddoo mit einem vorsichtigen Wangenkuss. Der Tisch war bereits gedeckt und sie nahm eine Auflaufform aus dem Ofen.

»Es gibt Lasagne. Mag das zufällig jemand?«

Nettelbeck und die Kinder schrien lauthals: »Ja!«

»Dann setzt euch alle hin.«

Sie nahmen Platz und Philomena tat ihnen auf.

»Was macht die Erkältung?«

»Das ist eine Sommergrippe.« Zur Bestätigung schniefte der Kommissar vernehmlich.

»Sag bloß. Dann sollte ich dir vielleicht besser Schonkost geben.«

»Nein, nein«, erwiderte Nettelbeck lächelnd und hielt seinen Teller mit beiden Händen fest.

»Was sagst du zu Kojos Plänen?«

»Kann ich nur voll und ganz unterstützen«, entgegnete Nettelbeck.

»Ist er nicht noch etwas zu klein für so ein großes Instrument?«

»Mama, ich bin schon zehn!«, sagte Mark Kojo empört.

»Und ich acht«, krähte seine Schwester.

»Ich habe mal irgendwo gelesen, dass sich das ganze Gebiss verschieben kann, wenn man noch in der Entwicklung ist.« Philomena setzte sich ebenfalls an den Esstisch. »Vielleicht sollte er erst einmal Blockflöte lernen statt Posaune.«

Mark Kojo warf Nettelbeck einen Hilfe suchenden Blick zu und der nickte verschwörerisch zurück.

»Philomena, etwas Grundsätzliches. Diese Geschichten sind alles bloß Horrormärchen, die von irgendwelchen Posaunenhassern in die Welt gesetzt wurden.«

»Posaunenhasser … So was gibt es wirklich?«

Nettelbeck sah seine Freundin an, suchte nach Sarkasmus in ihrem Gesicht, doch Philomena lächelte unschuldig.

»Und ob, ich bin in meinem Leben schon etlichen Menschen dieser Gattung begegnet. Schreckliche Personen.«

»Reg dich nicht auf, Martin. Denk an deine Sommergrippe!«

»Jetzt mal ernsthaft, Philomena: Musikschulen legen das Einstiegsalter zum Posaunelernen mit etwa neun Jahren fest. Mark Kojo ist also in dem idealen Alter, um damit zu beginnen. Sagt euch der Name George Roberts was?«

Seine drei Tischnachbarn schüttelten die Köpfe.

»Das war ein berühmter amerikanischer Posaunist, der im

September 2014 gestorben ist. Er war maßgeblich an der Entwicklung des modernen Bassposaunenspiels beteiligt. Auf ihn berufen sich gewissermaßen alle Bassposaunisten. Auch heute noch.«

»Kenne ich was von ihm?«, fragte Philomena spöttisch.

Nettelbeck lehnte sich zurück, jetzt hatte er sie. »George Roberts war bei über sechstausend Plattenaufnahmen beteiligt. Er hat mit allen gespielt. Mit Frank Sinatra, Ella Fitzgerald, Ray Charles, Nat King Cole, Sarah Vaughan, Dean Martin, um nur mal ein paar der bekannteren Namen zu nennen.«

»Das ist beeindruckend.«

»Und er hat bei unzähligen Filmmusiken mitgearbeitet. Unter anderem bei *Star Wars* und *Mission Impossible.*«

»Und du meinst, das schafft Mark Kojo auch?« Philomena legte besorgt ihre Hand auf die Stirn des Kommissars. »Dann ist es vielleicht doch etwas Schlimmeres als eine harmlose Sommergrippe, Liebling.«

Nettelbeck guckte einen Moment verdutzt, dann lachte er. »Ich wollte eigentlich nur sagen, dass George Roberts gegen seinen Willen zuerst zwei Jahre Klarinette lernen musste, weil die Eltern dachten, seine Arme wären zu kurz. Was natürlich völliger Unsinn war. George hat aber heimlich Posaune geübt und wurde später zu *Mr. Bass Trombone.*«

»Dann schlage ich vor, dass Kojo erst einmal ein paar Probestunden nimmt. Okay?«

»Eine super Idee«, Nettelbeck zwinkerte dem Jungen zu. »Bist du damit einverstanden?«

Mark Kojo nickte. »Vielleicht können Mama und Efua auch ein Instrument lernen. Dann können wir später eine Band gründen.«

»Ich spiele Schlagzeug«, kreischte Efua Marie.

»Die Idee vergesst mal schnell wieder. Ohne mich. Mir genügt es, wenn ich euch dirigieren kann. Also, abräumen und sauber machen«, Philomena stand auf. »Und jetzt lass uns mal schauen, wie wir deine Sommergrippe kurieren können.«

Philomena ergriff Nettelbecks Hand und zog ihn aus dem Raum.

20

Wadenwickel! – Straff sitzende Wadenwickel und George Roberts fulminante Bassposaune hatten aus einem dem Siechtum verfallenen Kommissar einen hellwachen, kraftstrotzenden Ermittler gemacht. Und natürlich Philomenas unendliche Zärtlichkeit, mit der sie ihn ins Bett gebracht und hingebungsvoll gepflegt hatte. Sommergrippe? Das war Schnee von gestern. Vor dem Einschlafen hatte Nettelbeck sich noch George Roberts Album *Bottoms Up* aus dem Jahre 1960 angehört. Mit dem späteren Filmkomponisten John Williams am Piano und Shelly Manne am Schlagzeug. Verständlich, dass der Posaunist mit seinem reichen warmen Klang und den traumhaft tiefen Lagen seinerzeit außergewöhnliche Aufmerksamkeit erregt hatte. Zumal Roberts über gehörigen Spielwitz verfügte und das Ganze noch mit einer Prise Sentiment gekonnt würzte. Solch eine souveräne Beherrschung der Bassposaune als Soloinstrument kannte man bis dahin nicht. Bevor Nettelbeck bei dem Stück *I Can't Believe That You're In Love With Me* sanft einschlummerte, dachte er noch, dass die Bassposaune vielleicht das schönste Instrument sei, um Balladen zu spielen. Aber diese Meinung teilte er bedauerlicherweise nicht mit vielen.

Die Welt war eben ignorant. Und das nicht nur, was den Stellenwert der Posaune betraf.

Der Kommissar sah aus dem Zugfenster, schaute auf die dichter werdende Bebauung. In wenigen Minuten dürften sie Leipzig erreicht haben. Er fragte sich, ob Daniel Rossner sich wohl sehr verändert hatte. Immerhin war es neun Jahre her, dass sie sich das letzte Mal begegnet waren. Kurz danach hatte sich Rossner nach Leipzig versetzen lassen. Der Grund dafür war ein Vorfall, der sich ein Jahr zuvor ereignet hatte. Frisch von der Polizeischule kommend, hatte Rossner im Landeskriminalamt ein Praktikum gemacht. Er war ein spindeldürrer langer Lulatsch gewesen und etwas gehemmt. Seine Intelligenz und reichlich vorhandenen sonstigen Qualitäten, die ihn für die kriminalpolizeiliche Laufbahn prädestinierten, kamen dadurch nicht richtig zur Geltung.

Dass das so war, dafür sorgten nicht zuletzt einige andere Praktikanten, deren Rädelsführer ein Kriminalkommissaranwärter namens Patrick Stemmler war. Er und sein Gefolge mobbten Rossner ständig wegen seines angeblich tuntenhaften Verhaltens, und das lange Elend hatte es nicht geschafft, sich dagegen zu wehren. Eines Nachmittags eskalierte die Situation. Stemmler durchsuchte Rossners Rucksack und fand einen dicken Bildband mit Illustrationen von Tom of Finland. Homoerotische Zeichnungen, die in der internationalen Schwulenszene Kultstatus besaßen. Unter Gegröle ließ Stemmler das Buch im Aufenthaltsraum rumgehen, die Praktikanten amüsierten sich prächtig. Höhöhö, guckt euch mal den Monsterschwanz an!

Als Nettelbeck, durch die Lautstärke alarmiert, in den Raum kam, sah er, wie Stemmler Rossner den aufgeschlagenen Band hinhielt. Eine Zeichnung, auf der ein uniformierter US-Polizist mit einem nackten Mann analen Verkehr hatte.

»Soll ich das auch mit dir machen?«, feixte Stemmler. »Willst du das? Na los, sag es mir. Ich helfe dir doch gern.«

Nettelbeck hatte Stemmler das Buch aus der Hand genommen und ihn zusammengestaucht. Mit all der Verachtung, zu der der Kommissar fähig war. Die anderen Praktikanten entschuldigten sich unbeholfen bei Rossner und der akzeptierte sogar Stemmlers Bitte um Verzeihung. Aber Nettelbeck nicht, er leitete ein Disziplinarverfahren ein. Stemmlers Beamtenverhältnis wurde widerrufen und der Kriminalkommissaranwärter aus dem Polizeidienst entfernt.

Daniel Rossner bedankte sich bei Nettelbeck und der hatte ihm den Rat gegeben, an sich und seiner Defensivkraft zu arbeiten. Und zwar ganz intensiv. Sonst würde er im ruppigen Polizeidienst immer wieder das Opfer abgeben.

21

Das gemeinsame Abendessen musste Steffen Reifenberg wegen des Zustands seiner Frau bedauerlicherweise absagen. Die Todesnachricht habe Brigitte zu sehr mitgenommen. Als Entschädigung lud er Lutz Büchler und Max Hartl zu einem üppigen Frühstück ins Einstein Stammhaus ein. Das Café war eine Berliner Institution und tischte nach Reifenbergs Ansicht das beste Frühstück der ganzen Stadt auf. Auch das Ambiente war beeindruckend. Die hohen Räume in dem alten Villengebäude, die dunklen Thonetstühle, die lederbezogenen Bänke und kleinen Marmortischchen bezauberten durch ihre Wiener Caféhausatmosphäre jeden Gast.

»Gitte war am Boden zerstört. Bei ihrem momentanen Gesundheitszustand kann sie das überhaupt nicht gebrauchen.«

»Wünsche ihr bitte gute Besserung«, sagte Hartl.

»Von mir auch«, ergänzte Büchler.

»Mache ich.«

Der Kellner brachte das Bestellte und sie begannen zu frühstücken.

Büchler wartete, bis der Mann sich entfernt hatte. »Habt ihr eigentlich im letzten Jahr mit René zu tun gehabt? Ich meine, von unserem letzten Treffen mal abgesehen.«

»Wir haben höchstens ein-, zweimal telefoniert«, sagte Reifenberg. »Die letzten Monate habe ich mich in erster Linie um Gitte gekümmert. Falls René Sorgen hatte, war er bei mir vermutlich an der völlig falschen Stelle.«

»Ein Glück, dass er keine Familie hatte«, sagte Hartl. »Gab es eigentlich eine Verlobte oder so was?«

Büchler grinste hinterhältig. »Du meinst eine Freundin, Max? So eine Art Geliebte? Trifft es das?«

Hartl nickte verkniffen. »Nenne es, wie du willst.«

Reifenberg lächelte wehmütig. »Die letzte, von der ich weiß, war diese Yvonne. Aber von der hatte René sich, glaube ich, schon vor drei Jahren getrennt.«

»Ich habe ja öfter mit ihm telefoniert, aber das Thema Frauen kam nie vor«, sagte Hartl. »Komisch eigentlich.«

Büchler gab Hartl einen freundschaftlichen Knuff. »Das hat vermutlich aber eher an dir als an René gelegen.«

Büchler und Reifenberg lachten und Hartl stimmte mit ein.

»Besondere Lust habe ich ja nicht mehr auf diese Tagung«, sagte Reifenberg. »Aber vielleicht ist es eine gute Ablenkung. Sonst denken wir ja doch nur ständig an René.«

Büchler und Hartl nickten.

22

Der ICE fuhr in den Hauptbahnhof Leipzig ein und Martin Nettelbeck stieg aus. Er sah sich auf dem Bahnsteig um, konnte seinen ehemaligen Praktikanten aber nirgendwo entdecken. Plötzlich kam ihm ein Hüne entgegen, ein blonder Siegfried, wie einer deutschen Heldensage entsprungen. Oder besser einer Zeichnung von Tom of Finland. Nettelbeck musste dreimal hingucken, aber er war es – Daniel Rossner. Er hatte sich mehr als verändert. Aus dem früheren Schlacks war ein wahres Muskelpaket geworden. Rossner hatte Arme wie Baumstämme, einen mächtigen Brustkorb, sehnige Oberschenkel und Waden. Und er trug einen Schnauzbart. Ein Bodybuildertraum.

Rossner begrüßte ihn herzlich, mit einer Stimme wie ein Orkan. »Martin, du kannst dir nicht vorstellen, wie ich mich freue, dich wiederzusehen. Ganz ehrlich«, energisch schüttelte er Nettelbecks Hand. »Du siehst, ich habe deinen Ratschlag beherzigt und kräftig an mir gearbeitet. Danke noch mal für den Anstoß.«

»Ich bin echt beeindruckt, Daniel. Aber hallo!«

»Wollen wir uns irgendwo reinsetzen und etwas trinken?«

»Ich würde lieber ein Stück gehen.«

»Gut. Irgendeinen besonderen Wunsch?«

»Ist mir egal.«

»Okay, dann die Touristentour: das Gewandhaus, die Alte Handelsbörse, die Moritzbastei, die Nikolaikirche, die Mädler-Passage mit Auerbachs Keller ...«

»Das reicht«, Nettelbeck lächelte. »Die Bibliotheca Albertina und die Thomaskirche kenne ich bereits.«

»Und das Völkerschlachtdenkmal? Kennst du das auch? Wir können uns ein Taxi nehmen ...«

»Bei den vielen Schlachten, die ich in den letzten Jahren geschlagen habe ... Lieber ein andermal.«

Die Männer verließen den Bahnhof, überquerten den Willy-Brandt-Platz und betraten den dahinter liegenden Park.

»Was macht die Posaune, Martin?«

»Mein Sohn will jetzt in meine Fußstapfen treten und spielen lernen.«

»Du hast einen Sohn? Schön.«

»Ich habe sogar eine Frau und zwei Kinder. Und du?«

»Ich wohne seit sechs Jahren mit meiner großen Liebe zusammen. Er ist Kunsthistoriker. Unsere Begeisterung für Tom of Finland hat uns zusammengebracht. Ben organisiert übrigens demnächst eine Ausstellung mit Finlands Zeichnungen in Berlin.«

»Freut mich. Und beruflich und so?«

»Ich bin seit zwei Jahren beim Verband lesbischer und schwuler Polizeibediensteter aktiv. Aber darauf zielte deine Frage sicher nicht ab, oder?«

»Nein, trotzdem eine gute Sache. Daniel, was kannst du mir zu René Walcha sagen? Wie war er so ... Ich meine privat, im täglichen Umgang?«

»Eigentlich ganz okay. Freundlich, zurückhaltend, manchmal etwas zögerlich vor Entscheidungen. Nach Auffassung einiger Kollegen hat er zu häufig gezaudert und nicht oft genug richtig durchgegriffen. Er war nicht gerade das, was man belastbar nennt.«

»Einer der Zeugen beschreibt ihn als etwas grüblerisch. Trifft das zu?«

»Schon, aber ich kann nichts Schlechtes über ihn sagen. Walcha war zu den Kollegen immer äußerst korrekt.«

»Kennst du Freunde von ihm? Irgendwelche Angehörige?«

»Eigentlich niemand. Seine Eltern sind beide tot. Ich weiß aber, dass Walcha seit etwa einem Dreivierteljahr eine Freundin hatte, die ihm sehr wichtig war. Vorher hat er nie etwas über Frauen fallen lassen. Diese schien ihm jedoch viel zu bedeuten. Sie ist nicht aus Leipzig, aber sie haben häufig telefoniert. Meistens rief sie ihn an.«

»Was weißt du sonst noch über diese Frau?«

»Den Namen kenne ich nicht. Ich vermute, sie wohnt in Berlin, weil er dort in den letzten Monaten öfter hingefahren ist. Aber das ist auch schon alles.«

»Wie lange habt ihr beide eigentlich zusammengearbeitet?«

»Über fünf Jahre.«

»Dann dürftest du Walcha ja ziemlich gut kennen.«

»Dachte ich auch. Bis er sich vor einem halben Jahr ziemlich verändert hat.«

»Inwiefern?«

»Da komme ich sofort drauf. Dann verstehst du, warum ich am Telefon nicht darüber reden wollte.«

Nettelbeck nickte. Die Kommissare passierten das Gewandhaus und gingen in Richtung Naschmarkt.

»Seit fünf, sechs Monaten gibt es Gerüchte. Pass auf: Unsere Abteilung befasst sich seit zweieinhalb Jahren mit einem Bauskandal hier in Leipzig, an dem die Bauplan-Investment GmbH beteiligt war. Ein luxuriöses Villenviertel sollte in Eutritzsch entstehen, auf halbem Weg zwischen der Altstadt und dem Messegelände.«

»Und der Bauträger hat Insolvenz angemeldet, bevor alles fertig war, nehme ich an?«

»Stimmt, sie hatten noch nicht mal richtig angefangen. Lediglich das Gelände war eingezäunt und ein paar Baugruben waren ausgehoben worden. Auf den Schautafeln sah natürlich alles toll aus. Vierunddreißig Stadtvillen mit hochkarätigen Eigentumswohnungen.«

»In Berlin schießen die auch wie die Pilze aus dem Boden.«

»Eine Wohnung sollte im Schnitt vierhundertvierzigtausend Euro kosten. Wir sprechen also von einem Gesamtvolumen von etwa neunzig Millionen. Der Bauträger ging insolvent, nachdem einer der beiden Geschäftsführer, ein Leipziger Architekt namens Jörg Grube, die Konten geplündert hat und über Nacht verschwunden ist.«

»Wie viel Geld hat er unterschlagen?«

»Fast die gesamten Anzahlungen der Käufer, also das erste Drittel. Insgesamt fehlten achtundzwanzig Millionen. Die wurden mehrmals um den Globus gejagt.«

»Von einer Bank zur anderen.« Nettelbeck nickte. »Bis sie endgültig verschwunden waren.«

»Richtig. Unsere Ermittlungen konzentrieren sich auch auf Marius Fechner, den zweiten Geschäftsführer der Bauplan-Investment GmbH. Ihn hat der Betrug seines Geschäftspartners selbstverständlich völlig überrascht.«

»Und das glaubst du nicht?«

»Nein. Fechner war seit der Wende in diverse Bauskandale verwickelt. Wie durch ein Wunder ist er immer glatt aus diesen Geschichten herausgekommen. Stattdessen sind irgendwelche Strohmänner stellvertretend ins Gefängnis gewandert. Danach konnten sie sich irgendwo im Süden zur Ruhe setzen. Von wem das Geld stammt, ist ja wohl klar.«

»Was für ein Typ ist dieser Fechner?«

»Ein freundlicher, gepflegter Mann mit einer durchaus sympathischen Ausstrahlung. Ich habe ihn mal durch Ben auf einer Ausstellung kennengelernt. Fechner ist ein bedeutender Sammler zeitgenössischer Kunst. Übrigens ist er letztes Jahr nach Berlin gezogen.«

»Irgendwie ziehen neuerdings alle Schurken und Halunken in die Hauptstadt. Woran das wohl liegt?«

»Das fragt euch mal selber«, grinste Rossner. »Jedenfalls hat Fechner angeblich nach einem Kurzurlaub festgestellt, dass die Konten leer waren. Er hat Strafantrag gegen seinen Partner gestellt und gleichzeitig Insolvenz beantragt.«

»Habt ihr herausgefunden, wohin dieser Jörg Grube verschwunden ist?«

»Wir konnten nur einen Flug von Leipzig nach Zürich nachvollziehen. Danach fehlt von ihm jede Spur.«

»Und René Walcha hat die Ermittlungen geleitet?«

»Ja, er hatte sich richtig in den Fall verbissen. Walcha war überzeugt, dass das Ganze gefaked war. Er hielt Grube für einen Strohmann, der mit einigen Hunderttausend Euro abgespeist worden ist. Seiner Meinung nach hat Fechner die Millionen selbst weggeschafft.«

»Ist das logisch?«

»Es sprach einiges dafür und Walcha hatte auch die ersten Beweise für seine Theorie gesichert. Doch vor sechs Monaten erlahmte plötzlich sein Interesse. Akten waren nicht mehr da, wo sie hingehörten. Walcha hatte sie angeblich zum Bearbeiten mit nach Hause genommen. Solche merkwürdigen Vorfälle häuften sich.«

»Kannst du dir den Grund dafür denken?«

»Für mich wirkte es, als wollte er die Ermittlung gezielt ins Off laufen lassen. Ich habe ihn schließlich darauf angesprochen. Und zwar mehrmals.«

»Wie hat er reagiert?«

»Zuerst ist er mir ausgewichen, dann wurde er richtig aggressiv. Er könne unmöglich alle seine Mitarbeiter monatelang an einem Fall arbeiten lassen. Es gäbe noch eine riesige Menge anderer Baustellen. Blablabla, du kennst das ja.«

Die Kommissare gingen an der Alten Handelsbörse vorbei und erreichten den Markt. Rossner griff in seine Jackentasche, holte ein paar Protein-Riegel heraus und bot sie Nettelbeck an. »Willst du einen? Sind mit Molkenproteinisolat. Geben sofort die volle Power.«

»Im Moment nicht. Danke.«

Daniel Rossner riss einen Riegel mit der Geschmacksrichtung Peanut Butter Supreme auf und biss davon ab. »Ich hatte jedenfalls den Eindruck, dass Walcha die Ermittlung nicht aus personaltechnischen Gründen heruntergefahren hat, sondern aus purem Kalkül. Wieso kann ich nur vermuten. Vielleicht wurde er geschmiert. Oder erpresst.«

»Und Walchas Vorgesetzte? Was haben die dazu gesagt?«

»Die haben ihm freie Hand gelassen. Hat die alles nicht groß interessiert.«

»Und aus welchem Grund?«

»Ich hoffe, es war reine Bequemlichkeit. Wenn die allerdings aus dem gleichen Motiv wie Walcha auf die Bremse getreten haben, dann … Deswegen auch meine Vorsicht, Martin. Bei uns haben die Wände Ohren.«

»Ist vermutlich besser so. Werdet ihr die Ermittlung jetzt wieder aufnehmen?«

»Darauf kannst du dich verlassen. Sowie Walchas Nachfolger ernannt ist, stehe ich bei dem auf der Matte.«

»Dann sollten wir uns gegenseitig auf dem Laufenden halten.«

Rossner nickte. Der Meinung war er auch.

23

Kerstin Reinkes Typ war echt der Letzte, auf den Nadine Lemmnitz Bock hatte, aber das musste jetzt sein. Sie stieg am U-Bahnhof Birkenstraße aus und irrte durch mehrere Nebenstraßen, bis sie endlich das Mietshaus gefunden hatte. Ein hässlicher, mit Graffiti übersäter Bau, auf jedem Balkon hing eine Satellitenschüssel. Wahrscheinlich alles fest in türkisch-arabischer Hand, vermutete sie. Nadine konnte den Hauseingang nicht finden, bis sie schließlich feststellte, dass er sich hinter dem Gebäude befand. Sie riss das Papier von dem Blumenstrauß ab, den sie unterwegs gekauft hatte, stopfte es in einen Müllcontainer und betrat das Gebäude.

Die Wohnung lag im dritten Stock, man konnte sie unmöglich verfehlen. Dafür sorgte schon ein selbst gemaltes Türschild, das mit dicken Fliegenpilzen verziert war:

Hier leben, lieben und sind high
Kerstin und Kai

Aus der Wohnung erklang laute Musik. Irgendein uralter Popsong aus der Zeit, als Nadine noch nicht geboren war. Sie spuckte in die Hand, fuhr sich mehrmals über ihre stoppelige Frisur und klingelte.

Der Mann, der ihr öffnete, war mindestens Mitte fünfzig. Er war groß und hager, hatte schlecht gefärbte dunkle Haare, überlange dünne Koteletten, die sich bis zum Kinn hinzogen, an den Händen Ringe mit martialischen Gothic- und Punkmotiven, in den Ohrläppchen silberne Creolen. Sein Gesicht war an Wangen und Nasenwinkeln mit geplatzten

Äderchen übersät, die Ränder der Augenlider leicht entzündet. Er trug einen dunklen Anzug, der am Revers und den Ellenbogen speckig glänzte. Seine schmale Lederkrawatte war nachlässig gebunden und saß schief. Er musterte Nadine argwöhnisch und sie fiel offensichtlich durch sein Akzeptanzraster.

»Ja bitte? Ich habe jetzt keine Bürozeit.«

»Ich möchte mit Kerstin sprechen. Ich bin Nadine.«

Sie hielt ihm die Blumen hin und versuchte, einigermaßen freundlich zu lächeln.

»Hab schon von dir gehört«, knurrte der Mann misstrauisch und machte keine Anstalten, die Tür freizugeben. »Kerstin ist noch auf Arbeit. Hat diese Woche Frühschicht.«

Ein Moment war Stille, sie beäugten sich gegenseitig. Während Nadine durch den Kopf schoss, dass Kerstin sich ja wohl den allerletzten Typen geangelt hatte, zweifelte Kai Holm an der Urteilskraft seiner Freundin. Nach Kerstins Erzählungen hatte er sich weiß Gott was vorgestellt. Aber nicht so einen struppigen Igel mit Überbiss und Hip-Hop-Klamotten. Er hasste Hip-Hop. Fast so sehr wie Techno. Und ihre Stimme war der reinste Horror. Ein raues heiseres Organ, das jedes Kind in Angst und Schrecken versetzen musste.

»Kann ich nicht drinnen auf Kerstin warten?«, brach Nadine schließlich das Schweigen.

Kai zögerte. Schließlich winkte er sie hinein. »Okay. Von mir aus.«

Innen sah die Wohnung aus, als wäre sie in Nadines Geburtsjahr vom Landeskonservator persönlich unter Denkmalschutz gestellt worden. Um der Nachwelt den New-Wave-Wohnstil der frühen Achtzigerjahre des zwanzigsten Jahrhunderts zu demonstrieren. Alle Wände waren weiß gestrichen, genauso wie die Parkettböden und Türen. Möbliert war das Ganze mit ein paar asymmetrischen Schränken, Edelstahlregalen voller CDs und weißen, mit Cordsamt bezogenen Sofas. An den Wänden hingen gerahmte Plakate von Filmen, die uralt waren und von denen Nadine weder gehört noch je einen gesehen hatte: *Harold und Maude*, *Last Tango in Paris*, *The Exorcist*, *Paper Moon*, *Dark Star* und *Annie Hall*. Alles in der Wohnung hatte bereits reichlich Patina angesetzt und wirkte leicht angeschmuddelt. Genauso wie der Wohnungsbesitzer.

»Sekunde, ich stell mal eben *Blondie* leiser.«

Kai ging in ein Zimmer, das ihm als Büro diente. Auf einem Plexiglasschreibtisch standen zwei bejahrte Monitore samt Tastaturen, auf dem Boden mehrere alte Stand-PCs. Er fuhr den Lautstärkeregler einer riesengroßen Stereoanlage etwas herunter, nahm Nadine die Blumen ab und ging in die Küche.

»Mitkommen!«

Nadine folgte ihm.

Kai ließ Wasser in eine Vase laufen und stellte die Blumen hinein.

»Ich weiß, weswegen ihr beiden gesessen habt. Kerstin hat mir alles erzählt. Haargenau. Jede einzelne Kleinigkeit.«

»Finde ich gut, dass sie das gemacht hat. Ehrlichkeit ist die einzig richtige Basis für eine Beziehung.«

»Willst du mich verarschen?« Kai knallte die Blumenvase auf den Küchentisch. »Pass mal auf. Wenn du mich verarschst, fliegst du gleich raus. Ist das klar?«

Nadine nickte.

»Okay, dann setz dich.«

Beide nahmen am Küchentisch Platz. Erneut wurde geschwiegen. Nach einer Weile wurde es Nadine zu langweilig.

»Hey, ich war sieben Jahre eingeknastet. Bin gerade fünf

Wochen raus. Meinst du, ich will gleich wieder mit irgendwelcher Scheiße anfangen? Ich habe meine Lektion gelernt. Das kannst du mir glauben.«

Kai starrte sie misstrauisch an.

»Kerstin war die Einzige, die mir da drinnen geholfen hat«, Nadine sah ihn unterwürfig an. »Ich würde ihr niemals blöde kommen.«

»Ist auch besser so. Kerstin ist nämlich eine absolute Spitzenfrau. Die geht nicht noch mal in den Bau. Dafür werde ich schon sorgen.«

»Finde ich gut. Wirklich. Sie hat es auch echt verdient.«

Kai taute ein wenig auf. »Ich hoffe bloß, dass sie nicht wieder mit diesem Bestellscheiß anfängt«, er schüttelte bekümmert den Kopf. »Nächstes Mal fährt sie garantiert für vier Jahre in den Bau. Mindestens«

»So eine hohe Strafe? Bist du da sicher?«

»Klar. Kerstin hat mit dem Richter verdammtes Glück gehabt. Bestell du mal monatelang über das Internet irgendwelches Zeug. Jeden Tag was Neues. Handys, Schuhe, Kleidung, Schmuck, Parfum und was weiß ich noch alles.«

»Diese Kaufsucht ist ja auch echt eine schlimme Krankheit. Möchte ich nicht haben.«

»Sogar auf den Namen ihrer Nachbarin hat sie Klamotten geordert und ihr eingeredet, es ginge nur um die Lieferadresse. Frag dich mal, wer am Ende die Rechnungen bezahlt hat …«

»Ich sag ja, wenn man da mal dran erkrankt ist … Schwer da wieder rauszukommen.«

»Deswegen lass ich sie auch an keinen Computer mehr ran. Zum Glück kenne ich mich mit den Dingern aus. Ich sehe sofort, wenn sie was im Internet bestellt hat.«

»Und diese Therapie, die Kerstin vor ihrer Entlassung gemacht hat? Hat die nicht geholfen?«

»Wie denn? Sechs Wochen hat die gerade mal gedauert. Was kann da schon groß rauskommen? Weißt du, was der psychiatrische Gutachter in seinem Bericht geschrieben hat?«

»Gutachter sind sowieso alles miese Drecksschweine.«

»Er könne keinerlei Kaufsucht feststellen. Obwohl er nur zwei Mal mit Kerstin gesprochen hat. Aber er hat bei ihr eine ängstlich-vermeidende Persönlichkeitsstörung entdeckt. So stand das da drin in dem Drecksgutachten.«

»Ist ja widerlich!«

»Kerstin sei zwar intelligent, habe aber ein schwach ausgeprägtes Ichbewusstsein und ein negatives Selbstbild.«

»Was für eine dämliche Sau.«

»Die Angeklagte neige dazu, sich unbegründet als krank einzustufen. Sie müsse endlich beginnen, für sich und ihre Handlungen Verantwortung zu übernehmen. Und eine problematische Mutter-Tochter-Beziehung hat er bei Kerstin auch noch diagnostiziert. Kannst du dir so einen Schwachsinn vorstellen?«

»Total pervers. Diese Psychowichser haben doch alle schwer einen an der Klatsche. Völlig gaga sind die.«

»Deswegen werde ich auch auf Kerstin aufpassen. Und zwar höllisch sag ich dir. Wie ein Luchs.«

»Das finde ich echt toll von dir, Kai«, Nadine zwang sich zu einem Lächeln. »Ich habe schon in Lichtenberg geahnt, dass du ein großartiger Mensch sein musst. Das merkte man schon an deinen Briefen.«

»Wie? Hast du die etwa gelesen?«

»Nein, nein, Kerstin hat ab und zu davon erzählt. Ich war richtig neidisch. So einen lieben Brieffreund hätte ich auch gerne im Knast gehabt.«

»Jetzt bist du ja auch wieder draußen«, lächelte Kai geschmeichelt. »Hast du schon irgendwelche Pläne?«

»Ja, die habe ich.«

»Und was willst du machen?«

»Das weiß ich noch nicht. Aber es soll dabei um Menschen gehen. Ich möchte ihnen irgendwie helfen. Ich möchte dafür sorgen, dass es wenigstens einigen von ihnen besser geht. Kannst du das verstehen?«

Kai nickte und war auf einmal durchaus ein wenig beeindruckt von der merkwürdigen Gangsta-Rap-Braut.

24

Irina Eisenstein und Wilbert Täubner betraten das Gebäude der Gerichtsmedizin. Sie nickten dem Pförtner zu, der in einer Loge den Eingang bewachte, und gingen durch das Foyer zum Sektionstrakt. Dort stand am Ende des Flurs eine fest montierte Stuhlreihe, auf der zwei uniformierte Polizisten saßen, zwischen sich einen Mann von Mitte zwanzig. Ein verschlagen aussehender, wieselartiger Typ mit zotteligen, dünnen Haaren. Seine Kleidung war verdreckt und an mehreren Stellen aufgerissen, an der Schläfe hatte er eine große verkrustete Schramme. Er sah exakt so aus, als hätte er sich vor Kurzem noch mit Begeisterung an einer Kneipenschlägerei beteiligt. Und das traf auch zu. Der Mann trug Handschellen und war angetrunken. Offensichtlich hatte er aber für den Tag immer noch nicht genug Ärger gehabt, denn als er Irina und Täubner erblickte, erschien ein fieses Lächeln in seinem Gesicht und legte ein ruinöses Gebiss frei.

»Endlich kommt mal 'ne scharfe Alte«, grölte er Irina entgegen. »Was machst du hier, Baby? Wollen die auch dein Blut?«

Die Ermittlerin ignorierte ihn, aber als sie an dem Festgenommenen vorbeiging, streckte der ein Bein aus und sie stolperte. Täubner fing sie im letzten Moment auf.

»Ey, Baby, ich rede mit dir!«, krakeelte der Mann.

Die Polizeibeamten wollten ihn zur Räson bringen, doch Irina hielt sie mit einem Blick zurück. Sie trat zu dem Mann, schaute ihn von oben herab an.

»Hast du dir dein bisschen Hirn völlig weggesoffen, du Niete?«

Der festgenommene Mann johlte. »Hört sie euch an, das ist doch mal 'ne taffe Knackarschbraut!«

»Pass auf, du Penner. Ich kann dir Ärger machen, da träumst du nur von. Kapierst du, worauf ich hinauswill?«

»Wow! Gib's mir richtig Baby, ich glaub, ich krieg schon 'nen Steifen!«

Irina schaute ihre Kollegen lächelnd an. »Was bekommt man eigentlich für einen gewalttätigen Angriff auf einen Kriminalbeamten?«

»Mindestens drei Jahre«, sagte einer der Polizisten.

»Soll jetzt sogar noch erhöht werden«, ergänzte sein Partner.

»Ihr habt das gerade alle mitbekommen, ja? Das war ein gewalttätiger Angriff der übelsten Sorte.«

»Und noch dazu mit Heimtücke«, ergänzte Täubner.

Die beiden uniformierten Beamten nickten grinsend.

»Dann stelle ich hiermit einen entsprechenden Strafantrag, Kollegen«, lächelte Irina die beiden Polizisten an.

Täubner reichte den Polizisten seine Karte: »Sagt uns Bescheid, wenn wir ihn unterschreiben sollen. Wird uns ein besonderes Vergnügen sein!«

»Tschau, Niete!« Wie eine Königin schritt Irina davon und Täubner folgte ihr beschwingt.

Der festgenommene Mann sah ihnen hinterher, sichtlich beunruhigt. »Das war ein Witz? Das meint die nicht ernst, oder?«

»Doch, das meint die so. Verlass dich drauf«, sagte einer der beiden Polizisten und klopfte ihm auf die Schulter. »Gratulation. Du hast dich gerade mit Berlins härtester Polizistin angelegt.«

»Aber darüber brauchst du dir jetzt nicht den Kopf zu zerbrechen«, ergänzte sein Partner. »Dafür hast du noch genug Zeit, wenn du die nächsten Jahre in Tegel einsitzt.«

Im Sektionssaal war es angenehm kühl nach den 32 Grad Außentemperatur, die draußen bereits um kurz vor Mittag herrschten. Die Gerichtsmedizinerin Katharina Sprengel stand am Seziertisch und hatte René Walchas Leichnam vor sich. Sie lächelte Irina und Täubner an.

»Sie kommen leider zwei Stunden zu spät, sonst hätten Sie natürlich gerne zusehen können.«

»Uns reicht Ihr Protokoll voll und ganz. Also mir, meine ich«, erwiderte Täubner und sah seine Freundin argwöhnisch an, die die Leiche fasziniert betrachtete.

Sprengel lachte und reichte Täubner einen Computerausdruck. »Im Moment spricht nichts gegen einen Suizid. Da der rechte Oberarm der Leiche mindestens sechs Stunden lang im Wasser gelegen hat, konnte ich allerdings keine Schmauchspuren mehr feststellen.«

»Das heißt, sie könnten sich in dieser Zeit zersetzt haben«, hakte Wilbert Täubner nach.

»Das ist möglich.«

»Oder es gab gar keine«, fügte Irina hinzu.

»Das kann ich ebenso wenig ausschließen.« Katharina Sprengel deutete auf eine Aufrisszeichnung des Ufers, auf der die Positionen von René Walchas totem Körper und die Schusswaffe dokumentiert waren. »Die Lage der Leiche im Verhältnis zur vermutlichen Eintrittsstelle der Patrone lässt beides zu. Er kann es selbst gemacht haben, aber auch eine Person, die dicht hinter dem Opfer gestanden hat, könnte den Schuss auf seinen Kopf abgegeben haben.«

»Zu welcher der Versionen tendieren Sie denn?«

»Im Moment zu keiner. Falls die Kugel noch gefunden wird, könnte ich eventuell eine Prognose machen. Hängt allerdings davon ab, ob wir die Flugbahn einigermaßen genau rekonstruieren können.«

»Also bleibt vorläufig alles ziemlich unklar«, nickte Täubner frustriert.

»Das würde ich so nicht sagen«, entgegnete Sprengel. »Wir reden hier immerhin von einer Treffergenauigkeit von fünfzig zu fünfzig Prozent. Ist das etwa nichts?«

»Wie sieht es denn mit der Pistole aus?«, fragte Eisenstein. »Sind zwanzig Zentimeter Entfernung vom Leichnam für Sie glaubwürdig? Ich frage mich, ob sie nicht ebenfalls im Wasser hätte liegen müssen, wenn er Suizid begangen hat.«

»Darüber habe ich auch nachgedacht. Beim Todeseintritt kommt es häufig zu unmittelbaren Muskelkontraktionen. Wenn das auch hier der Fall gewesen ist, dann wäre Ihre Frage folgerichtig. Dann hätte seine Hand die Waffe krampfhaft umschlossen gehalten und sie müsste demnach auch im Wasser liegen.«

»Verstehe«, sagte Irina. »Aber wenn die Krämpfe verzögert eingetreten sind, kann ihm die Waffe noch entglitten sein, bevor er tot zu Boden gestürzt ist.«

»Richtig, dann ist die Lage so knapp neben dem Körper normal. Was hat denn die Untersuchung der Pistole ergeben?«

»Wir warten noch auf das Ergebnis. Unser Labor ist mal wieder völlig überlastet.«

»Sehen Sie: Wir sind hier auch mit Arbeit zugedeckt, trotzdem haben wir die Leiche bevorzugt obduziert«, die Gerichtsmedizinerin lächelte süffisant. »Das können Sie Ihren Labormenschen ja mal still und leise stecken.«

»Ich werde dran denken«, nickte Täubner ergeben.

»Bevor ich es vergesse«, sagte Katharina Sprengel. »Wie geht es Martin?«

»Nicht so gut. Er hat eine schwere Sommergrippe.«

»Oh, der arme Kerl. Schade, dass er nicht mitgekommen ist. Ich habe da ein Mittel, das hätte ihn umgehend geheilt.«

»Echt? So was gibt es?«, fragte Irina.

»Natürlich nicht. Aber bei Martin Nettelbeck bewirkt der Placeboeffekt wahre Wunder. Das weiß ich aus eigener Erfahrung.«

»Hast du gehört, Wilbert? Placeboeffekt …! Wenn du das nächste Mal krank bist, dann krieg ich dich auch mit so was dran.« Irina warf ihren Kopf in den Nacken und lachte lauthals.

Täubner verdrehte die Augen.

Da werden Weiber zu Hyänen
Und treiben mit Entsetzen Scherz,
Noch zuckend, mit des Panthers Zähnen,
Zerreißen sie des Feindes Herz.

Schiller, dachte der Kommissar betrübt. Friedrich Schiller hat es natürlich schon immer gewusst. Aber ich, ich unterstelle den Frauen ständig nur das Allerbeste. Wieso eigentlich?

25

Kai Holm saß an seinem Schreibtisch und tippte auf einer der Tastaturen herum.

Nadine schritt die Regale ab und schätzte, dass dort mindestens viertausend CDs verstaut waren. Vermutlich noch viel mehr. Sie kannte allerdings kaum einen der Musiker.

»Mensch, hast du viele CDs. Die müssen ja ein Vermögen gekostet haben.«

»Sind fast nur Rezensionsexemplare, alles umsonst gekriegt. Ich habe früher für ziemlich wichtige Musikzeitschriften geschrieben.«

»Echt? Ist ja irre!«

»Für *Sounds, Tempo, Fachblatt Musikmagazin* und andere. Außerdem noch für diverse Stadtzeitungen.«

»Klasse, da hast du bestimmt tierisch Kohle gemacht.«

»Na ja, geht so. War nicht schlecht. Suche mal *Tubeway Army* raus. Zweite Reihe von oben.«

»Welche denn? Hier stehen mehrere von denen.«

»*Replicas.*«

Nadine brachte Kai die CD und er schob sie in den Player. »Absolut geile Scheibe. Habe ich damals für die *Spex* besprochen. Muss in deren erster oder zweiter Nummer gewesen sein.«

»Wahnsinn! Ich steh ja unheimlich auf *Eminem*. Und auf *50 Cent*. Schreibst du auch über die?«

»Ich lehne es grundsätzlich ab, Hip-Hop zu besprechen.«

»Ach so.«

»Ich verfasse überhaupt keine Musikkritiken mehr. Techno hat alles kaputt gemacht. Und dieses abartige Verbot der

Tabakwerbung. Das haben die Zeitschriften nicht über...
Sekunde mal.«

Plötzlich hämmerte Holm wie verrückt in die Tasten.

Nadine trat an den Schreibtisch und sah ihm über die
Schulter.

GutMenschHasser

Statt hier mit ihren Kopftuchmädchen Islampropaganda zu machen, sollen sich diese Hassprediger erst mal uns Deutschen anpassen! Müssen wir auch in ihren muslimischen Drecksdiktaturen!

Holm las einen Kommentar auf seinen Post und hämmerte
dann erneut in die Tastatur.

GutMenschHasser

Wenn uns Christen von diesen Verbrechern der Kopf abgeschlagen wird, ist keine Zeit mehr, um groß rumzuquatschen. Dann sollten wir endlich handeln! Und zwar umgehend! Sonst garantiere ich für nichts!

Holm las den Kommentar des anderen und tippte weiter.

GutMenschHasser

Dann mach diesen Kameltreiber doch zu deinem Schwiegersohn. Dein Gesicht möchte ich sehen, wenn deine Tochter nur noch mit 'ner Burka rumlatscht! Da kannst du dir auch gleich den Strick nehmen!

Grinsend wartete Holm auf die Erwiderung. Die kam und er
hackte los.

GutMenschHasser

Ich scheiß auf deine Religionsfreiheit, du Weichei! Hier ist Europa, nicht das beschissene Morgenland! Wir sind christlich geprägt! Wir brauchen keine islamischen Hassprediger! Never!

Holm schaute auf den anderen Monitor und wechselte blitzschnell die Tastatur. Nahtlos begann er, in einer anderen Kommentarschiene zu schreiben.

blue-collar-hero

Die Arbeitszeit in Deutschland gehört schon längst flexibilisiert. Aber diese sogenannten Gewerkschaften blockieren ja alles nur. Kennt man ja! Faule Säcke! Bloß nicht richtig ranklotzen!

Holm lachte leise auf, als er die Antwort las, und hackte weiter.

blue-collar-hero

Ich möchte mir nämlich etwas leisten für meine Arbeit, dafür schaffe ich gern ein bisschen mehr. Sie wollen doch nur die DDR zurück, Sie geschichtsvergessene rote Socke. Wohl Hartz-Vier-Bezieher, was?

Er wartete, bis ein neuer Kommentar abgesetzt wurde, und schrieb gleich eine Erwiderung.

blue-collar-hero

Anstatt dass Sie auch mal ein paar Stündchen mehr arbeiten, soll ich Sie wohl noch bis zum Sankt-Nimmerleins-Tag mit durchfüttern! Da haben Sie sich aber geschnitten, Sie kommunistische Ausgeburt!

»Wieso schreibst du diese ganzen Kommentare?«, fragte Nadine. »Ist das dein Hobby?«

»Nein, nein, ich werde pro Kommentar bezahlt.«

»Echt? Wie viel kriegst du für einen?«

»Die Masse macht's.«

»Und für wen schreibst du das Zeug?«

»Für so PR-Spezialisten. Das sind alles Fachleute für Debatten in sozialen Netzwerken. Kennst du nicht.«

»Dann bist du ein richtiger Troll?«

»Quatsch, ich doch nicht«, Holm lachte. »Ich schreibe mal für die Guten, mal für die Bösen. Abwechselnd, damit es ausgewogen ist. Ich bin doch kein Charakterschwein. Ich mache das sowieso nur wegen der Kohle.«

Sie hörten, wie die Tür aufgeschlossen wurde. Kurz darauf betrat Kerstin Reinke den Raum. Sie war hübsch, etwas drall und hatte wasserstoffblondierte gelockte Haare. Sie trug einen knappen schwarzen Ledermini und eine enge Bluse mit Leopardenmuster.

»Nadiiii! Wow! Komm her, meine Kleine, lass dich umarmen!«

Nadine starrte sie sprachlos an. Das war ernsthaft ihre Knastfreundin?

Kerstin umarmte Nadine bewegt. »Ist das schön, dich wiederzusehen, meine kleine Maus.«

»Wie siehst du denn aus?«, fragte Nadine. »Ich hätte dich gar nicht wiedererkannt.«

Kai Holm kam dazu und legte seinen Arm um Kerstins Hüfte, voller Besitzerstolz. »Klasse, was? Sag schon, an wen erinnert sie dich?«

»Keine Ahnung«, antwortete Nadine.

»An Debbie Harry natürlich, du Dummerchen!«, lächelte Kerstin.

Nadine hatte nicht die geringste Ahnung, wer das sein sollte, tat aber so, als wüsste sie Bescheid. »Klar, jetzt, wo du es sagst ...«

»Genauso sah Debbie aus, als ich sie vor dreißig Jahren in London gesehen habe. Live! Mit Blondie! Das waren noch Zeiten.«

Kerstin knuddelte Nadine »Wie geht es dir, meine Kleine?«

»Ganz gut. Ich habe ein Zimmer in einer Entlassenen-WG. Ist aber okay.«

»Und was ist mit 'nem Job?«

»Ich fange am fünfzehnten August in einer Bezirksgärtnerei an«, log Nadine. »In Spandau. Bis dahin helfe ich stundenweise in einer Initiative aus, die sich um Asylbewerber kümmert.«

»Super. Toll«, Kerstin gab ihr einen schwesterlichen Wangenkuss. »Meine Kleine hat eben ein gutes Herz. Habe ich dir das nicht die ganze Zeit gesagt, Kai?«

»Das hast du«, Holm lächelte. »Woher kommen denn diese Asylbewerber?«

»Überwiegend aus Afrika. Deren Situation kann einen manchmal ganz schön fertigmachen. Momentan soll eine der Familien nach Angola abgeschoben werden. Mit vier Kindern.«

»Kommt alle mit in die Küche«, Holm schob die beiden Frauen aus seinem Büro. »Ich koche uns was Leckeres und du erzählst uns mehr von dieser Ini. Einverstanden?«

Nadine nickte und genoss es sichtlich, im Mittelpunkt zu stehen.

»Ja, das klingt wirklich unheimlich spannend«, Kerstin hakte sich bei Nadine unter. »Was haltet ihr davon, wenn wir zur Feier des Tages eine Flasche Schampus killen? Ist zwar erst Mittag, aber ...«

»Aber es ist trotzdem ein exzellenter Vorschlag, Sweet-heart«, grinste Holm und gab Kerstin-Blondie einen Klaps auf den Po, den diese mit einem schrillen Schrei kommentierte.

26

Für die Tagung *Diffundierung von Grenzen – Chancen und Risiken von Polizeiarbeit in der Sicherheitsarchitektur einer post-territorialen Welt* hatte man im Landeskriminalamt am Tempelhofer Damm sämtliche Säle der obersten Etage reserviert. Etwa fünfzig hochrangige Polizeipraktiker und Kriminalitätswissenschaftler saßen im Saal 2 und hörten den einführenden Worten des Leitenden Kriminaldirektors Roger Delbrück aufmerksam zu. Auch Lutz Büchler, Max Hartl und Steffen Reifenberg waren anwesend, sie hatten in der letzten Reihe Platz genommen.

Roger Delbrück lehnte lässig am Rednerpult, sprach souverän, mit modulierender Stimme: »Die Frage ist doch, was aus unserer Sicht die großen sicherheitspolitischen Tendenzen in der kommenden Dekade sind. Die letzten Jahre waren gekennzeichnet durch eine Verschlechterung der weltweiten Wirtschafts- und Konjunkturlage, die Finanzkrise, Arbeitslosigkeit, speziell die Jugendarbeitslosigkeit, und die Migrationsströme«, Delbrück machte eine kleine Pause, ließ seinen Blick über die Anwesenden gleiten. »Zeitgleich hatten wir zunehmende Bedrohungslagen durch Bürgerkriege sowie religiöse und ethnische Auseinandersetzungen. Ich erwähne hier insbesondere den globalen Waffenhandel, instabile und undemokratische Staatssysteme, in denen kriminelle Organisationen stark wurden, um sich dann auszubreiten bis hierher in unsere Städte. Und dort möglicherweise nicht nur

Gewaltverbrechen herkömmlicher Art begehen, sondern auch Terrorakte. Hier genau setzt das Konzept des nächsten Redners an, meine Damen und Herren, den wir nach einer kleinen Kaffeepause hören werden. Ich danke Ihnen.«

Die Anwesenden klatschten Beifall.

Delbrück hatte sich einen Kaffee geholt und schlenderte zu Büchler, Hartl und Reifenberg, die etwas abseits an einem der Stehtische standen.

»Und? Interessant bisher?«, fragte er die drei Kollegen.

»Na ja, geht so«, sagte Hartl. »Das Referat von der Kollegin aus Flensburg fand ich nicht schlecht. War wenigstens praxisnah und nicht so geschwollen.«

»Sehr aufschlussreich«, ergänzte Reifenberg. »Das Thema Entgrenzung von Sicherheitsräumen und die Entstehung von Gewaltmärkten habe ich so noch nie betrachtet.«

»Wirklich erhellend für uns alte Frontschweine«, grinste Büchler. »Obwohl dein kleiner Vortrag gerade natürlich das Highlight des Tages war. Kaum noch zu toppen.«

Die vier Kriminaldirektoren lachten.

»Wann haben wir uns eigentlich das letzte Mal gesehen? Alle gemeinsam?«, fragte Delbrück. »Wann war das?«

»Vor anderthalb Jahren, im Februar«, sagte Hartl. »Beim Europäischen Polizeikongress.«

»Stimmt, da war René auch dabei«, Delbrück nahm nachdenklich einen Schluck Kaffee. »War ein sehr netter Mann. Eine Schande, dass er tot ist.«

»Ja, das denken wir auch«, sagte Reifenberg. »Wir können es immer noch nicht fassen.«

»Wie stehen denn die Ermittlungen? Bist du darüber im Bilde?«, fragte Büchler. »Dann bring uns mal in die Spur, alter Knabe.«

»Mein Expartner leitet sie. Martin Nettelbeck. Ein erstklassiger Mann. Ich habe mit ihm gesprochen.«

»Und?«

»Ich denke, er geht von Suizid aus. Also dürften die Untersuchungen bald beendet sein. Vermutlich Ende der Woche, schätze ich.«

»Das ist gut«, sagte Reifenberg. »Es ist nicht förderlich, wenn sich die Sache zu lange hinzieht. Für das Ansehen der Polizei, meine ich.«

Seine Freunde nickten.

»Wenn ihr irgendwelche Fragen habt ...«, Delbrück sah seine Kollegen reihum an. »Ihr könnt mich jederzeit ansprechen. Das wisst ihr hoffentlich.«

Büchler gab Delbrück einen kumpelhaften Knuff auf den Bizeps. »Wir kommen darauf zurück.«

27

Nach der Rückkehr aus Leipzig hatte Martin Nettelbeck sich mit seinem Team in der LKA-Kantine zum Mittagessen getroffen. Irina und Täubner wählten beide den Antipasti-Teller mit Salat und Baguette, der Kriminalhauptkommissar hingegen entschied sich für das pochierte Kabeljaufilet mit Noilly-Prat-Soße, Zucchini und Röstkartoffeln. Um sich wegen des anstehenden Termins bei Jutta Koschke fischmäßig schon mal etwas auf Vordermann zu bringen, wie er hoffte. Nachdem Nettelbeck die Kollegen über die neuen Informationen in Kenntnis gesetzt hatte, diskutierten sie das Ergebnis der gerichtsmedizinischen Untersuchung.

»Mit seiner Dienstwaffe ist er jedenfalls nicht getötet worden«, erklärte Nettelbeck. »Walcha hatte eine Heckler &

Koch P10. Wie ist denn das vorläufige Fazit von Dr. Sprengel? Tendiert sie eher zu Mord oder Suizid?«

»Sie wollte sich nicht festlegen, sondern erst das Ergebnis der Taucherstaffel abwarten.«

»Liegt das etwa noch nicht vor?«

»Doch, ist gerade reingekommen«, erwiderte Täubner.

»Und? Haben sie was gefunden?«

»Jede Menge Metallschrott, aber keine Kugel. Und die haben immerhin vier Taucher eingesetzt, um das Areal abzusuchen«, erwiderte Täubner. »Schon komisch.«

»Ja, seltsam. Achim Lebeck soll sich das Zeug trotzdem genau ansehen.«

Täubner nickte.

»Was hast du denn über unsere drei Kriminalräte herausgefunden, Irina? Gibt es da irgendetwas Auffälliges, wo wir ansetzen könnten?«

»Eher nicht. Lutz Büchler ist offenbar glücklich verheiratet, mit einer Studienrätin. Eine richtig heile Bilderbuchfamilie mit zwei Kindern und einem Eigenheim am Neckar. Sie wohnen in Ladeburg, das ist quasi ein Vorort von Mannheim.«

»Was sagen seine Kollegen über ihn? Hast du da was entdeckt?«

»Er gilt als hemdsärmelig und ist manchmal ein bisschen ruppig, aber wenn es darauf ankommt, steht er voll hinter seinen Leuten. Als junger Mann war Büchler Ringer, ziemlich erfolgreich, die Kampfinstinkte sind ihm geblieben.«

»Und Max Hartl?«

»Der hat sich vor drei Jahren von seiner Frau getrennt. Nach vierundzwanzigjähriger Ehe. Seit letztem Herbst wohnen sie aber wieder zusammen. Eine Tochter, sie studiert in München Theologie. Beide sind aktive Chormitglieder in einer katholischen Pfarrgemeinde in Passau.«

»Klingt auch nicht gerade nach zerrütteten Verhältnissen.«

»Immerhin haben sie es mal versucht«, grinste Täubner.

»Das zählt nicht.« Nettelbeck schob sich den letzten Bissen in den Mund.

»Hartl ist der Feingeist der drei. Er nimmt die Dienstvorschriften sehr genau, ist da ziemlich penibel. Notfalls legt er sich dafür auch mit seinen Vorgesetzten an. Kam schon ein paar Mal vor. Und Hartl war immer erfolgreich.«

»Okay, dann zu diesem Reifenberg …«

»Den kenne ich persönlich«, sagte Irina. »Ich hatte zwei Seminare bei ihm belegt. Einmal *Kriminalistisches Denken und Vorgehen* und dann die Lehrveranstaltung *Angewandte Kriminologie.*«

»Hat er wenigstens einen zweifelhaften Charakter?«

»Da muss ich dich enttäuschen, Martin«, lächelte Irina. »Reifenberg ist verheiratet und kinderlos, aber ich fand ihn ausgesprochen kompetent und ganz sympathisch.«

»Und du hast nicht den klitzekleinsten Makel gefunden?«, gab sich Nettelbeck enttäuscht.

»Nein, bei keinem.«

»Gleich drei vorbildliche Kriminalisten …«

»Ich habe gehört, dass Reifenberg auf junge Frauen steht«, sagte Täubner.

»Da ist er vermutlich nicht der Einzige«, der Kriminalhauptkommissar schob seinen Teller beiseite. »Irina, mache mir bitte einen Termin bei der Bauplan-Investment GmbH. Ich möchte Marius Fechner so schnell wie möglich treffen. Am besten noch heute Nachmittag. Und es wäre nett, wenn du mich begleitest.«

»Natürlich. Gern.«

»Wilbert, du könntest Achim Lebeck etwas Druck machen. Und checke mal, mit welchen Nummern Walcha regelmäßig telefoniert hat, möglicherweise hatte er ja eine Freundin in Berlin.«

»Geht klar.«

»Dann bis nachher. Ich will meine Vorgesetzte nicht unnötig warten lassen. Wer weiß, wie sie das aufnehmen würde.«

Nettelbeck stand auf, nickte seinen Mitarbeitern zu und ging mit matten Schritten zum Ausgang.

Irgendwie erinnert er an ein Lamm, das gleich zur Schlachtbank geführt wird, dachte Täubner. Armer Kerl.

28

Der alte Zustand war wieder hergestellt, ganz so, als wäre keine Zeit vergangen. In den vergangenen elf Monaten hatte Nettelbeck sich regelmäßig zu Besprechungen in Jutta Koschkes ehemaligem Büro aufgehalten. Mal war Täubner dabei gewesen, mal hatte er allein mit Alfred Philippsen gesprochen. Der Kriminalrat war eines der ältesten Schlachtrösser, das die Berliner Kripo in ihren Reihen hatte, stand kurz vor seiner Pensionierung und hatte sich nicht um die Vertretungsstelle gerissen. Dementsprechend müde war er gewesen, hatte Probleme am liebsten weit von sich gewiesen, Nettelbeck machen lassen. Das war jetzt vorbei. Jutta Koschke war erneut an Bord, die Zügel fest in der Hand.

Nettelbeck musterte die Fischtrophäen, die wieder an den Wänden hingen. Die gerahmten Fotografien, die die Kriminalrätin und ihren verstorbenen Mann beim Fliegenfischen zeigten. Ein Foto war neu dazugekommen. Günther Koschke in Uniform auf einem Patrouillenboot der Wasserschutzpolizei. Er lächelte gutmütig, so wie Nettelbeck ihn in Erinnerung hatte. Wie oft hatte er sich gefragt, was die beiden wohl zusammengehalten hatte, Jutta und Günther. Ob man sich das bei Philomena und ihm auch fragte? Der Kommissar schaute zu einer der Fischleichen hoch, die ihn … Ja, die ihn verächtlich anschaute. Anders konnte er es nicht ausdrücken. Das dämliche Biest sollte hier bloß nicht einen auf arrogant machen und an seiner Beziehung zu Philomena herumkritisieren. Ihn hatte man jedenfalls nicht in Spiritus eingelegt, um ihn zu konservieren. Und mit Gips war Nettelbeck auch nicht ausgegossen worden. Bei der Vorstellung musste er unwillkürlich lachen.

Jutta Koschke blickte ihn argwöhnisch an: »Martin, willst du mich nicht mitlachen lassen?«

»Entschuldigung, mir fiel gerade bloß ein uralter Witz ein.«

»Ach ja? Mir kam es so vor, als hättest du meinem Esox americanus americanus böse Blicke zugeworfen.«

»Deinem Esox americanus americanus? Was soll das sein?« Koschke deutete auf den präparierten Fisch. »Mein Rotflossenhecht. Den haben wir im Sankt-Lorenz-Strom gefangen, in der Nähe von Québec.«

»Wie schön.«

»Übrigens danke, Martin.«

»Wieso?«

»Danke, dass du meine Fische gerettet hast.«

»Ich …?«

»Natürlich.«

»Du vertust dich.«

Koschke legt eine zerknitterte Empfangsbestätigung vor ihm auf die Tischfläche. »Ist das etwa nicht deine Unterschrift?«

Nettelbeck beugte sich vor, betrachtete den Zettel stirnrunzelnd. »Eventuell … könnte möglicherweise sein … es gibt zumindest eine gewisse Ähnlichkeit.«

Die Kriminalrätin lächelte. »Also noch einmal danke. Aber wenn es dir lieber ist, vergessen wir es.«

Nettelbeck lächelte ebenfalls. »Unbedingt. Sonst unterstellen mir die Kollegen am Ende noch Sentimentalität oder Weichheit.«

»Das wollen wir auf keinen Fall. Apropos Fall ... Wie sieht es in Sachen René Walcha aus?«

»Ich denke, dass wir den Vorgang bald schließen können.«

»Ach ja?«, fragte Koschke.

»Bislang deuten alle Spuren auf Suizid hin.«

»Gut. Ich brauche dir ja nicht zu sagen, dass wir uns bei der Ermittlung keine Blöße geben dürfen, immerhin haben wir es mit einflussreichen Kollegen zu tun.«

»Das Gleiche hat mir Roger auch gesagt.«

»Schau an. Interessiert sich der Kriminaldirektor etwa persönlich für unsere Ermittlung?«

»Das tut er doch immer.«

»Na, ich weiß nicht.«

»Doch, doch«, antwortete Nettelbeck, der sich inwendig dafür verfluchte, dass er Jutta Koschke mal wieder auf den Leim gegangen war. Während ihrer monatelangen Abwesenheit war sein Jutta-Koschke-Abwehr-Instinkt offensichtlich völlig eingeschlafen. Das musste er schleunigst ändern.

»Beantworte mir bitte eine Frage, Martin«, die Kriminalrätin lächelte scheinheilig und der Kommissar ahnte schon, was jetzt kommen würde. »Ich weiß ja, dass du und Roger die dicksten Freunde seid. Trotzdem, meine harmlose Frage. Du brauchst sie auch nicht zu beantworten, wenn du nicht willst.«

»Also frag schon.«

»Roger kennt die Kollegen, stimmt's? Waren sie vielleicht zufällig zur gleichen Zeit in Münster an der Polizeiführungsakademie?«

»Roger war im Jahrgang nach ihnen und lernte sie bei der Einführungsveranstaltung kennen.«

»Wer sagt's denn! Dann ist er selbstverständlich mit ihnen in Kontakt geblieben. Wenn unser Leitender Kriminaldirektor in etwas absolute Weltklasse ist, dann in Networking. Und das meine ich mit allem gehörigen Respekt.«

Nettelbeck starrte die Kriminalrätin wortlos an. Hättest du doch bloß diese Scheißfische zur Müllkippe gebracht. Diese Frau hat wirklich keinerlei Empathie verdient. So verschlagen, wie sie ist.

»Na egal. Du wirst dich von so was schon nicht beeinflussen lassen, Martin. Da bin ich mir sicher.«

Jutta Koschke lächelte befriedigt und warf ihrem Esox americanus americanus einen zärtlich-triumphierenden Blick zu, wie Nettelbeck missmutig registrierte. Diesem niederträchtigen heimtückischen Gipsungetüm.

29

Achim Lebeck verstaute gerade ein paar Energydrinks als Wegzehrung in seinem Rucksack, da klopfte es. Wilbert Täubner betrat den Arbeitsraum des Kriminaltechnikers, in der Hand die Plastikschale mit René Walchas persönlichen Dingen. Wie immer war der Kommissar von dem chaotischen Durcheinander fasziniert, fragte sich wie jedes Mal, wie ein Mensch in diesem Wirrwarr effektiv arbeiten konnte. Aber Lebeck schaffte das offenbar irgendwie.

»Schönen Gruß von Martin. Du sollst das bitte mal alles checken. Vor allem die Dateien und Verzeichnisse auf dem Smartphone bräuchten wir so schnell wie möglich. Am besten heute noch.«

Der Kriminaltechniker stieß einen verzweifelten Schrei aus, wie ein waidwundes Tier.

»Alles in Ordnung, Achim?«

»Nein, überhaupt nicht. Nichts ist in Ordnung.« Lebeck starrte Täubner verzweifelt an. »Alles geht gerade voll den Bach hinunter.«

»Wieso? Was hast du für ein Problem?«

»Eins? Ich habe Hunderttausende. Eins schlimmer als das andere. Verdammte Scheiße!«

»Kann ich dir irgendwie helfen?«

»Du könntest für mich zum polizeiärztlichen Dienst gehen.«

»Hast du etwa auch 'ne Sommergrippe?«, versuchte Täubner einen Scherz.

»Was? Nein, die sollen überprüfen, ob meine Polizeidienstfähigkeit noch gegeben ist. Oder ob ich bereits PDU bin. Anordnung meines Chefs.«

»Will der dich in den vorzeitigen Ruhestand versetzen? Wieso? Ist irgendwas vorgefallen?«

»Eine längere Geschichte. Nicht jetzt«, die Smartwatch des Kriminaltechnikers begann einen Signalton auszustoßen, der immer schriller wurde. »Mensch, ich muss los. Mein Chef wartet nur darauf, dass ich den Termin platzen lasse. Dann kann er nämlich behaupten, dass ich dienstunfähig bin und mich sofort rausschmeißen.«

Lebeck schob Täubner aus dem Raum und schloss ab.

»Und die Ermittlung? Wir kommen ohne dich nicht weiter.«

»Sowie ich zurück bin, lege ich los. Und wenn ich die ganze Nacht durcharbeiten muss. Morgen früh kriegst du die Ergebnisse.«

»Wirklich?«

»Ja, versprochen.«

»Okay.«

Lebeck eilte zum Treppenhaus und Täubner folgte ihm.

»Achim, bist du ernsthaft krank?«

»Nein, aber … Seit der Trennung von Hanna habe ich etwas an Gewicht zugelegt. Äääh … fünfzehn Kilo genau genommen. In zweieinhalb Monaten. Das findet mein Chef pervers, diese verknöcherte Spaßbremse.«

»Fünfzehn Kilo … Ich finde, es steht dir«, log Täubner der Sache zuliebe. »Wieso seid ihr denn nicht mehr zusammen?«

»Hanna hat rausgekriegt, dass ich Bulle bin. Eine Piratin und ein Bulle, das geht für sie nicht. Undenkbar.«

»Hast du ihr das etwa die ganze Zeit verheimlicht?«

Lebeck nickte kleinlaut. Dann grinste er todesmutig. »Egal, was ich gemacht habe! Noch gebe ich mich nicht geschlagen. Ein Achim Lebeck gibt nicht auf. So schnell nicht. Niemals!« Dann watschelte der Kriminaltechniker eilig die Stufen zur Eingangshalle hinab.

Wilbert Täubner sah ihm kopfschüttelnd nach. Da zog er hin in den Kampf, der wackere Achim …

30

Der Flakturm Schönholz stand im westlichen Teil Pankows und wäre 1943 fast als Letzter von insgesamt vier für die Reichshauptstadt geplanten Gefechtstürme zu Ende gebaut worden. Doch die Fertigstellung hatte sich aufgrund der Kriegsentwicklung hingezogen, sodass der unvollendete Bau lediglich als Bunker für die Zivilbevölkerung genutzt werden konnte. Sein Leitturm, der dreihundert Meter entfernt mit seinem Radar die Feuerleitung übernehmen sollte, kam sogar niemals über das Entwurfsstadium hinaus. Die ursprüngliche Aufgabe, mit seinen schweren, auf dem Dach stationierten Flugabwehrkanonen das Stadtzentrum Berlins gegen alliierte Luftangriffe zu verteidigen, blieb dem Flakturm somit verwehrt. Bei Bombenangriffen flüchteten allerdings Tausende Berliner in die bereits fertiggestellten Schutzräume und so hatte der Hochbunker in Schönholz doch noch ein klein wenig kriegsverlängernd gewirkt.

Nach der Kapitulation sprengten die Alliierten die drei anderen Berliner Flaktürme als monströse militärische Bauwerke. Dem niemals vollendeten Flakturm Schönholz blieb dieses Schicksal erspart. Er wurde von dem Magistrat Ost-Berlins und dann von der Nationalen Volksarmee jahrzehntelang als Lagerraum genutzt, bis er nach der Wende lange Zeit leer stand. Es hatte erst ein Visionär wie Marius Fechner kommen müssen, um ihn aus seinem Dornröschenschlaf zu erlösen. Als Geschäftsführer der Bauplan-Investment GmbH kannte er sich bestens aus mit Bauvorhaben einer gewissen Größenordnung. Gegenüber den Villenvierteln, Einkaufszentren und Großraumsiedlungen, mit denen er in den vergangenen Jahrzehnten seine Millionen gemacht hatte, schienen ihm die Kosten für eine Umwandlung des Flakturms Schönholz in einen Lebensbereich für sich und seine große Kunstsammlung geradezu überschaubar.

Nachdem das Bundesinnenministerium die Zivilschutzbindung für den Bunker aufgehoben hatte, konnte Marius Fechner mit seiner Neuerwerbung im Grunde machen, was er wollte. Aus den dicken Betonwänden ließ er große Blöcke für Türen und Fenster heraussägen, was sich als schwierig gestaltete, da sie mit besonders harten Stahlstäben durchsetzt waren. Das Erdgeschoss richtete Fechner als Garage und für Nutzräume her, im ersten, zweiten und dritten

Stock stellte er seine Kunstsammlung aus. Auf das fünfte Stockwerk wurde ein Staffelgeschoss mit weit auskragendem Dach gesetzt, um die Wohnfläche maximal zu vergrößern. Von der neu entstandenen Penthouse-Wohnung samt Dachterrasse hatte Fechner eine einzigartige Aussicht auf den Volkspark Schönholzer Heide, das Märkische Viertel und den Schlosspark Pankow. Das Gelände um den Flakturm war nun von einer Parkanlage umgeben, die ein hoher Metallzaun sicherte.

Martin Nettelbeck und Irina Eisenstein stiegen aus ihrem BMW und sahen sich um.

»Ist schon imposant«, sagte die junge Ermittlerin.

»Ich bin mal gespannt, wie es innen aussieht«, erwiderte Nettelbeck.

Sie gingen zum Eingang, der für das wuchtige Gebäude erstaunlich klein war. Eine gebürstete Aluminiumtür, ohne Sichtfenster, aber mit einer luxuriösen Videotürsprechanlage. Die dazugehörigen Außenkameras filmten das komplette Gelände, vom Vorplatz bis zum Eingang. Ein paar Meter weiter hatte man eine zweite Öffnung in die Bunkerwand gefräst – die Zufahrt in die Garage. Groß genug, um auch einen Hummer-Geländewagen problemlos passieren zu lassen.

Nettelbeck drückte auf den Türknopf und sogleich antwortete ihm eine sonore Männerstimme. »Kommissar Nettelbeck?«

»Richtig. Und Frau Eisenstein.«

»Kommen Sie bitte herein. Ich werde Sie im Erdgeschoss abholen.«

»Danke.«

Nettelbeck drückte die Tür auf und die beiden Ermittler betraten das Gebäude. Im Innern des Flakturms bot sich ihnen die vollendete Tristesse: Graustufen in unendlichen Nuancen. Sie standen am Sockel des Treppenhauses, dessen ausgeblichener Beton original belassen und nur abgewaschen worden war. Der Handlauf war aschgrau gestrichen, die Wandleuchten bestanden aus schieferfarbenen Glaskörpern. Nicht der kleinste Farbklecks war zu sehen.

Marius Fechner kam beschwingt die Stufen herunter. Der Geschäftsführer der Bauplan-Investment GmbH war zweiundsechzig Jahre alt, gertenschlank, hatte kurze graue Haare und einen Dreitagebart. Sein weit geschnittener Anzug, den der japanische Modedesigner Yōji Yamamoto persönlich für ihn entworfen hatte und von dem vierundzwanzig identische Exemplare in seinem begehbaren Kleiderschrank hingen, bestach durch die Minimalistik der aufeinander abgestimmten und dezent gemusterten Grautöne. Dazu trug Fechner einen anthrazitfarbenen Rollkragenpullover, mausgraue Lederturnschuhe und eine randlose Brille mit eckigen Gläsern.

»Ich mag es, wenn Menschen pünktlich sind. Willkommen in meinem Refugium.« Fechner schüttelte den Kommissaren kräftig die Hand. »Wenn Sie mich bitte hinaufbegleiten würden ... Oder sollen wir lieber den Fahrstuhl nehmen?«

Nettelbeck und Eisenstein verneinten und folgten Fechner in den ersten Stock. Auch hier dominierte eine fahle, bleierne Stimmung, die durch die ausgestellten Kunstwerke noch verstärkt wurde.

Wie viele verschiedene Grautöne mag es wohl geben?, fragte sich Nettelbeck, als er die düsteren Gemälde und Skulpturen betrachtete, und entschied dann, dass es eindeutig zu viele waren.

»Schauen Sie sich um. Hier finden Sie nur die bedeutendsten Gegenwartskünstler. Sigmar Polke, Louise Bourgeois, Gerhard Richter, Bruce Nauman, Rosemarie Trockel und natürlich Anselm Kiefer, der Schwerpunkt meiner Kunstsammlung.«

»Sie haben sicher eine Menge Zeit und Geld investiert, um so eine beeindruckende Sammlung zusammenzutragen«, sagte Irina. »Ihre Leidenschaft für die Kunst ist überwältigend.«

»Oder meine Psyche stark suchtgefährdet«, lächelte Fechner. »Denn zweifellos grenzt Kunst zu sammeln an Besessenheit. Obwohl ich bei Weitem nicht über so viel Kapital verfüge wie einige meiner Sammlerkollegen. Ich bin schon oft beim Kauf eines wichtigen Werkes überboten worden.«

Nettelbeck enthielt sich eines Kommentars. Nach der düsteren Begegnung mit Koschkes Fischleichen stand ihm für den Rest des Tages der Sinn eher nach Heiterem. Aber auch in den beiden nächsten Etagen waren hauptsächlich finstere Bilder und Plastiken ausgestellt.

»Meine ersten Stücke habe ich bereits als Student gekauft. Die Leidenschaft für die Kunst begann, als ich das erste Mal einem Werk von Anselm Kiefer gegenüberstand. Es waren seine archaisierenden Materialien, diese Faszination für Asche und Blei, die mich unmittelbar teilhaben ließ an seiner Vision.«

Marius Fechner deutete auf eine Reihe von Skulpturen, die den Großteil der Ausstellungsfläche einnahmen. Dreizehn übergroße Lehnstühle, die bis auf die Holzfüße mit Blei ummantelt waren. Die Oberflächen waren voller Falten, Kratzer und rußgraue Flecken. Beim Betrachter erweckten sie Assoziationen an elektrische Stühle.

»Sein Zyklus *Zeit/Gespenster/Verfall*. Es grenzt an ein Wunder, dass ich ihn erwerben konnte. Vielleicht der Glücksmoment meines Lebens.«

»Sammeln Sie nur für sich alleine?«, fragte Irina. »Sieht sonst niemand Ihre Schätze?«

»Zweimal im Monat findet auf Voranmeldung eine öffentliche Führung statt. Aber ich weiß, wohin Ihre Frage zielt: Sammler zu sein hat etwas Egoistisches. Deshalb werde ich dafür Sorge tragen, dass die Werke eines fernen Tages mittels meiner Stiftung der Öffentlichkeit erhalten bleiben.«

Sie verließen die Ausstellungsetagen und betraten das Wohngeschoss. Es bestand aus zwei Ebenen, die durch eine freischwebende Treppe miteinander verbunden waren. Nettelbeck konnte die Größe nur schätzen, vermutlich waren es zweihundertzwanzig Quadratmeter, wenn nicht sogar mehr. Immerhin galt in Fechners Privatbereich trotz der strengen Gliederung das Farbverbot nicht, im Gegensatz zu der Düsternis der unteren Stockwerke machte alles einen geradezu lebensbejahenden Eindruck. Wenn man Grau als dominanten Ton grundsätzlich bejahte.

Marius Fechner wies auf eine Couchlandschaft vor einer langen Glasfront, die den Blick auf eine üppig begrünte Terrasse freigab. »Darf ich Ihnen etwas zu trinken anbieten?«

Beide Ermittler lehnten dankend ab und setzten sich.

»Mir ist immer noch nicht ganz klar, warum Sie mich sprechen wollen und warum es Ihnen damit so eilig ist. Normalerweise bekommen meine Gesprächspartner keinen Besuchstermin innerhalb von zwei Stunden.«

»Wir ermitteln in einem ungeklärten Todesfall«, erwiderte Nettelbeck. »Sagt Ihnen der Name René Walcha etwas? Kriminaldirektor René Walcha? Er leitete das Leipziger Dezernat für Wirtschaftskriminalität.«

»Ja, der Name ist mir vertraut. Seine Abteilung hat nach der Insolvenz meiner Firma Bauplan-Investment eine Untersuchung eingeleitet. Aber das scheint im Sande verlaufen zu sein. Meine Anwälte haben jedenfalls seit Monaten nichts mehr von dem Dezernat gehört.«

»Kriminaldirektor Walcha wurde gestern Morgen tot aufgefunden. Hier in Berlin.«

»Oh, wie ist das passiert?«

»Das versuchen wir herauszufinden. Herr Walcha wurde unter noch nicht ganz geklärten Umständen in der Nacht auf Montag erschossen.«

»Nun …«, Marius Fechner hob beide Hände, »… zu dem Zeitpunkt war ich in London. In der Barbican Art Gallery. Ich habe mir die Ausstellung *Light Echoes* angesehen, von Aaron Koblin und Ben Tricklebank. Ich überlege, sie mit einer Lichtinstallation zu beauftragen. Für die Außenhaut meines Refugiums.«

»Und wann genau sind Sie zurückgekommen?«, fragte Irina.

»Gestern Abend. Mit British Airways. 22:10 Uhr in Tegel gelandet«, er schaute auf seine Armbanduhr. »Also vor sechzehn Stunden und siebenundfünfzig Minuten. Ich hoffe, das ist genau genug.«

»Zu Ihrer Insolvenz … Sie befürchten nicht, dass man Sie rechtlich noch zur Verantwortung ziehen wird?«, fragte Nettelbeck.

»Die Bauplan-Investment war eine GmbH …«

»Aber bei einem Investitionsvolumen von beinah neunzig Millionen …«

»Ich habe der Staatsanwaltschaft meine volle Kooperation zugesichert. Und ich habe meine Vermögensverhältnisse zur Gänze dargelegt. Außerdem betrug das Stammkapital unserer GmbH vier Millionen Euro. Diese Summe fließt selbstverständlich vollständig den betrogenen Parteien zu.«

»Das sind gerade mal ein Siebtel der unterschlagenen Summe.«

Marius Fechner machte eine bedauernde Geste. »Mit den

Machenschaften meines ehemaligen Partners habe ich nichts zu tun. Ich gehöre selbst zu den Betrogenen.«

»Sie sind also ein ehrenwerter Bauunternehmer, der sich nichts hat zuschulden kommen lassen? Den Anschein werden Sie auch nach Abschluss der Ermittlungen noch aufrecht halten können?«

»Sicher. Dieses Gerede über die korrupte Baubranche ... Ich kann es nicht mehr hören. Die meisten von uns versuchen, mit ehrlicher Arbeit Geld zu verdienen. Und den Menschen mehr oder weniger schöne Gebäude hinzustellen. Auch wenn das ästhetisch zugegebenermaßen schon mal danebengeht. Außerdem: Schwarze Schafe gibt es überall.« Marius Fechner lächelte die beiden Ermittler provokant an.

»Zielt Ihre Bemerkung irgendwohin?«, fragte Irina. »Meinen Sie damit jemand Bestimmtes?«

»Durchaus. Ihr feiner Kollege war alles andere als ein unschuldiges Lamm. Im Gegenteil, er war der klassische Wolf im Schafspelz.«

»Sie sprechen von Kriminaldirektor Walcha?«

»So ist es. Wissen Sie, die Beschäftigung mit Anselm Kiefers Oeuvre hat mich unter anderem gelehrt, dass unser Dasein nicht aus Hell und Dunkel besteht. Im Gegenteil. Wir bewegen uns ein Leben lang in Grauzonen, die Schattierungen sind fließend.«

»Vielleicht könnten Sie etwas konkreter werden«, monierte Irina.

»Aber sicher. In meiner Branche galt René Walcha als völlig korrupt. Er hat wiederholt Kollegen, die seitens des Dezernats unter Druck standen, mit Aktenmanipulationen und ähnlichen Tricks zur Einstellung ihrer Verfahren verholfen.«

»Haben Sie dafür Beweise?«

»Walcha hat mich in meinem Leipziger Büro persönlich

aufgesucht und mir unter vier Augen klar zu verstehen gegeben, dass er meine Schwierigkeiten unproblematisch lösen
könne. Die Summe, die er gefordert hatte, war nicht mal
besonders hoch. Er wollte für seine Unterstützung zwei-
hunderttausend Euro.« Fechner lachte kurz auf. »Das kostet
bei so einem Verfahren ja schon der Anwalt.«

Nettelbeck und Eisenstein tauschten einen Blick aus.

»Kriminaldirektor Walcha hat Ihnen konkret das Angebot
gemacht, die Ermittlungen im Sande verlaufen zu lassen?«

»So ist es.«

»Wann genau war das?«

»Im Dezember letzten Jahres. Fünf Tage vor Heiligabend.«

»Wie haben Sie darauf reagiert?«

»Natürlich umgehend abgelehnt. Andernfalls hätte ich
mich doch der Bestechung schuldig gemacht. Aber seien Sie
versichert, dass ich bezüglich der Insolvenz von allen Beschuldigungen reingewaschen werde.«

»Und wenn nicht?«

»Ich kann es immer nur wiederholen, auch Ihnen sage ich
es gerne noch einmal: Ich war an der Unterschlagung der
achtundzwanzig Millionen nicht beteiligt. Zu keinem Zeitpunkt. Weder in der Planung noch in der Durchführung. Ich
bin wirklich ehrlich und grundanständig.«

Nettelbeck nickte. Und dann dachte er an die vielen verschiedenen Grautöne, die er in der letzten Stunde ertragen
hatte müssen: Staubgrau, Taubengrau, Feldgrau, Silbergrau,
Eisengrau, Rauchgrau und so fort. So viele unterschiedliche
Graustufen, er kannte nicht annähernd genug Namen für
alle diese Schattierungen. Bislang hatte der Kommissar Grau
immer als deprimierend empfunden, als langweilig, nichtssa-
gend und trüb. Deshalb konnte er auch nicht nachvollziehen, wieso jemand von dieser Nichtfarbe fasziniert war.

Egal. Aber Nettelbeck spürte genau, dass Marius Fechners Rechtfertigung sich ebenfalls in einer Grauzone bewegte. Und deshalb fand er ihn nicht ansatzweise überzeugend, sondern vielmehr verlogen. Einfach nur grauenvoll.

31

Nadine lag in der Badewanne und genoss das heiße Wasser. Während der sieben Jahre in der JVA Lichtenberg war es ihr nur erlaubt gewesen, zu duschen. Immer eine Gruppe Gefangene ging in den Duschraum, sieben Minuten duschen inklusive An- und Ausziehen, fertig. Dann kamen schon die Nächsten dran. Seit Nadine bei *Leben ohne Gitter* wohnte, hatte sie fast jeden Tag gebadet, nervte ihre Mitbewohner bereits damit, dass sie das Bad so oft in Beschlag nahm. Sie schloss die Augen und ließ die Bilder fließen – ihre wunderschöne Petra erschien. Nadines Hand glitt zwischen ihre Beine und sie masturbierte. Wenig später duschte sie sich ab und stieg aus dem Wasser. Sie frottierte sich und betrachtete einen Augenblick ihren nackten Körper im Spiegelschrank. Ihr gefiel, was sie sah. Körperlich war ihr der Knast gut bekommen. Sie war wirklich eine sexy kleine Kampfmaschine. Da hatte Petra recht gehabt.

Nadine zog ihren Slip an, nahm das Prepaid-Handy, das sie auf dem Heimweg gekauft hatte, und rief Kerstins Festnetznummer an. Wie erhofft, nahm Kai Holm den Anruf entgegen.

»Hi, Kai, ich bin's … Nadine. – Ja, war echt ein super Nachmittag. – Ich bin noch kurz bei ihnen vorbeigegangen. Es sieht ganz schlimm aus. – Die Familie wird morgen in jedem Fall nach Angola abgeschoben. – Das finde ich klasse, dass du ihnen helfen willst. Echt, fantastisch. – Ich denk mal drüber nach. Mir fällt schon was ein. – Euch auch einen schönen Abend. Ich freue mich schon auf unser Wiedersehen. – Bye-bye.«

Beim Blick in den Spiegelschrank bemerkte Nadine, dass bei ihren letzten Worten eine der Mitbewohnerinnen ins Bad gekommen war. Die dicke Stephanie, die wegen zweifacher Kindstötung elf Jahre gesessen hatte.

»Haste jetzt 'nen Lover, Sweetie?«, grinste Stephanie.

»Ja, echt ein super Typ. Vor zehn Tagen kennengelernt.«

Stephanie steckte zwei Finger in Nadines Slipbündchen und zog es leicht ab. »Schade, dann wird aus uns beiden wohl nichts mehr.«

»Darauf kannste lange warten. Du bist zwar 'ne rattenscharfe Braut, Steffi, aber wie sagt man so schön: I'm a lover, not an Altenpfleger.«

Nadine schnappte sich ihre Sachen und verließ das Bad.

32

Der Kommissar war froh, als er nach dem anstrengenden Tag endlich zu Hause war. Philomena hatte im Internet verschiedene Adressen herausgesucht, die für Mark Kojos Posaunenunterricht infrage kamen. Nach dem Abendbrot wollten sie sie gemeinsam durchsehen und dann entscheiden, ob der Junge bei einem Privatlehrer oder in einer Musikschule Stunden nehmen sollte. Nettelbeck selbst hatte auf das Tempo gedrückt. Er wollte Nägel mit Köpfen machen, ehe seine Freundin es sich anders überlegen und einen Rückzieher machen konnte. Mark Kojo stand felsenfest an seiner Seite, das wusste der Kommissar, der würde sich von ihren gemeinsamen Posaunenplänen nicht abbringen lassen.

Am vergangenen Abend war Nettelbeck aufgefallen, dass Efua Marie ein wenig traurig war. Ihr großer Bruder durfte ein Instrument lernen und sie nicht. Dunkle Wolken brauten sich am familiären Himmel zusammen. Als der Kommissar am Mittag in Jutta Koschkes Büro gesessen hatte, war ihm plötzlich eine Lösung für dieses Problem eingefallen: die traditionelle Alarmpfeife von Scotland Yard, *The Authentic British Police Whistle*. Vor einigen Jahren hatte Nettelbeck bei einem Städtetrip nach London, den er mit seiner damaligen Freundin Katharina Sprengel gemacht hatte, ein Exemplar davon gekauft.

1888 trieb im Londoner Stadtteil Whitechapel der berüchtigte Jack the Ripper sein Unwesen, begann seine aufsehenerregende Mordserie. Eigentlich hätte jeder Bobby mit einem gellenden Pfiff aus seiner *Police whistle* Verstärkung herbeiordern können. Eigentlich. Wenn er den Ripper denn jemals zu sehen bekommen hätte. Pfeifenmäßig war die Metropolitan Police nämlich bereits auf dem allerneuesten Stand. Sie hatte die Alarmpfeife bereits fünf Jahre zuvor mit durchschlagendem Erfolg getestet. Ihr typischer Doppelklang war noch eineinhalb Kilometer weit entfernt zu vernehmen. Seitdem gehörte die Trillerpfeife zur Grundausstattung der Londoner Ordnungshüter. Mörder, Schwindler, Diebe und andere Schurken mussten jetzt erheblich schneller sein, wenn sie der Staatsmacht entkommen wollten.

Die Pfeife hatte seit dem Londontrip ungenutzt in Nettelbecks Schreibtischschublade gelegen. Still und leise, ohne sich über seine offen gezeigte Missachtung zu beschweren. Nicht den kleinsten Pfiff hatte sie von sich gegeben. War voller Selbstvertrauen geblieben. Als hätte sie immer gewusst, dass sie eines Tages gebraucht werden würde. Und dieser Tag war nun gekommen.

Die Bobbypfeife bestand aus massivem Messing, war vernickelt, etwa acht Zentimeter lang und hing an einer dicken verzwirnten Kordel. Efua Marie war begeistert über das Geschenk und die Gewitterwolken lösten sich in Luft auf. Das Mädchen musste allerdings versprechen, die Pfeife niemals in der Wohnung oder im Treppenhaus zu benutzen. Bei dem schrillen Ton würde sonst null Komma nichts die ganze Hausgemeinschaft zusammenlaufen. Und das sollte nach Möglichkeit vermieden werden. Das sah auch Efua Marie ein. Stolz hängte sie sich die Bobbypfeife um den Hals und strahlte über das ganze Gesicht.

33

Wilbert Täubner und Irina Eisenstein waren gemeinsam ins Büro gekommen. Da jeder von ihnen nach wie vor eine eigene Wohnung hatte – der Kommissar war im letzten Spätsommer endlich aus seiner WG aus- und in eine eigene Wohnung im südlichen Hansaviertel eingezogen – hatten sie beschlossen, Irinas Praktikumszeit als ihr persönliches Experimentierfeld zu nutzen. Sie wollten jeweils abwechselnd eine Woche bei dem anderen verbringen. Mit allen Konsequenzen, wie es viele andere unverheiratete Paare machten. So würden sie ja sehen, ob sie in absehbarer Zeit auf dem beschwerlichen Weg ihrer Zweisamkeit eine weitere Evolutionsstufe erklimmen konnten. Täubners neue Adresse befand sich in der Klopstockstraße und zu Fuß brauchte man quer durch den Tiergarten gerade mal eine viertel Stunde bis zum Landeskriminalamt in der Keithstraße.

Während Nettelbeck direkt ins LKA am Tempelhofer Damm gefahren war, sammelten Täubner und Irina in ihrem Büro weitere Informationen über Büchler, Hartl und Reifenberg. Im Internet stieß Täubner auf eine alte Festbroschüre der *Polizeiführungsakademie Münster*, die ein ehemaliger Professor eingescannt und auf seine private Homepage geladen hatte. Sie war von den Studierenden zum Abschluss des Jahrgangs 1998 selbst verfasst worden.

»Schau dir das mal an …«

Irina trat zu ihrem Freund und gemeinsam lasen sie in der Broschüre. Sie gab Einblick in den Studienalltag, zeigte Fotos der Studenten im Seminar, bei praktischen Übungen und auch bei privaten Aktivitäten. Im launigen Stil einer Abiturzeitung wurde über die einzelnen Absolventen hergezogen. Auch die Viererbande bekam ihr Fett weg.

»Das sind unsere vier, oder?«

»Das sind sie, definitiv.«

Eines der Fotos zeigte Lutz Büchler, Max Hartl, Steffen Reifenberg und René Walcha bei einer Party in einer der typischen münsterschen Altstadtkneipen. Die vier Freunde waren zwar noch ein ganzes Stück jünger, aber keiner von ihnen hatte sich so stark verändert, dass er nicht mehr zu erkennen gewesen wäre. Neben den ausgelassen feiernden Männern war eine hübsche blonde Kellnerin abgebildet:

Münsters B. B. – die schönste Blondine der örtlichen Gastronomie

»Ob das diese Brigitte ist, die Reifenberg ein Jahr später geheiratet hat?«, fragte Täubner.

»Möglich. Google doch mal ihren Namen.«

Der Kommissar gab *Brigitte Reifenberg* ein und es erschienen mehrere Einträge. Alle bezogen sich auf den Golf- und

Country-Club Seddiner See, in dem eine Brigitte Reifenberg aktiv war. Aber auf den einzigen beiden Fotos mit ihr war das Gesicht einmal verdeckt und auf dem anderen war sie nur von hinten zu sehen. Unmöglich, sie zu identifizieren. Auf der zweiten Googleseite fand sich ein Eintrag, der auf die Hochschule für Wirtschaft und Recht verwies. Ein bebilderter Zeitungsartikel von einer Feier anlässlich der Eröffnung einer Campus-Nebenstelle in Marzahn am 2. April 2013. Unter den Gästen in der ersten Reihe Steffen Reifenberg mit seiner Frau Brigitte. Unverkennbar handelte es sich um die blonde Kellnerin aus der münsterschen Altstadtkneipe.

»Bingo!«

Da poppte auf dem Monitor eine E-Mail auf, die Achim Lebeck geschickt hatte.

Es gibt eine Gitte auf René Walchas Handy. Die Mobilnummer gehört Brigitte Reifenberg, Gregoriusstraße 5, 13465 Berlin. Du siehst, ich halte mein Wort, Achim!
PS: Der Kampf geht weiter!

34

Aus irgendeinem administrativen Grund war Roger Delbrück an diesem Morgen verhindert und nahm nicht an der Tagung teil. Martin Nettelbeck lotste die drei Kriminaldirektoren in ein Besprechungszimmer im vierten Stock des Landeskriminalamtes, ohne dass sein alter Partner ihm dabei in die Quere kam. Er kannte Delbrücks Neigung zu dezenter Manipulation, die mit steigendem Dienstalter immer ausgeprägter wurde. Und wenn das Ansehen der Polizei auf dem Spiel stand, gab es für seinen ehemaligen Partner schon gar keine Hemmungen. Da mischte er sich auch in Dinge ein, die ihn nichts angingen.

Der Kommissar verzichtete auf kollegialen Small Talk, ließ sogleich die Bombe platzen: Marius Fechner hatte René Walcha als durch und durch korrupt bezeichnet.

Die drei Freunde waren von der Nachricht völlig perplex.

»Was behauptet dieser Fechner? René war käuflich? Der lügt doch! Der lügt!«, brauste Büchler auf.

»René hatte viel zu viel Anstand, sich auf so eine Schweinerei einzulassen«, sagte Hartl bitter. »Völlig ausgeschlossen. Nicht René.«

»Keiner von uns würde auf so eine abartige Idee kommen«, Reifenberg funkelte Nettelbeck an. »Mal abgesehen von Fragen der Moral. Wir sind alle Kriminalisten. Wir wissen, dass die Gefahr, dabei aufzufliegen, viel zu groß ist.«

»Ausgerechnet René so etwas zu unterstellen …! Was für ein Schwein, dieser Fechner«, Büchler ballte die Fäuste. »Diesem Arschloch würde ich am liebsten Anstand reinprügeln!«

Hartl schüttelte den Kopf. »René hat sich wirklich mit den ethischen Fragen auseinandergesetzt, die in unserem Beruf eine Rolle spielen. Ernsthaft.«

»Als da wären?«, hakte Nettelbeck nach.

»Fragen, die die Anwendung von Macht und Gewalt betreffen, Verantwortung und Gewissen, wie geht man mit Befehl und Gehorsam um, was heißt Menschenwürde und Gerechtigkeit«, einen Moment zögerte Hartl. »Manchmal hatte René richtig was von einem Heiligen.«

»Wir alle haben in unserem Beruf doch oft genug die Erfahrung gemacht, dass Menschen eine unbekannte kriminelle Seite haben«, entgegnete Nettelbeck. »Das soll sogar bei unseren besten Freunden vorkommen.«

»Nicht bei René«, Büchler sah Nettelbeck grimmig an. »Für den lege ich meine Hand ins Feuer.«

»Hat dieser Fechner denn irgendwelche Beweise vorgelegt?«, fragte Reifenberg.

»Nein, das Angebot hat ihm Herr Walcha angeblich in einem Vier-Augen-Gespräch gemacht. Aber uns erscheint es schon bemerkenswert, dass Ihr Freund die Untersuchung gegen Fechners Firma kurz nach dieser Begegnung eingestellt hat. Der zeitliche Zusammenhang wurde mir von einem seiner Mitarbeiter bestätigt.«

»Kann es dafür nicht auch einen anderen Grund gegeben haben? Ganz banale Ermittlungsprobleme zum Beispiel?«

»Ich wüsste keinen«, erwiderte Nettelbeck. »Es geht immerhin um eine Firmeninsolvenz, bei der achtundzwanzig Millionen unterschlagen wurden. Da ist eine Ermittlungspause, aus welchen Gründen auch immer, absolut kontraproduktiv.«

»Wegen Geld hätte René so etwas nie gemacht. Er legte keinen Wert auf materielle Dinge.«

»Außerdem hatte er von seinem Vater ein paar Mietshäuser in Markkleeberg geerbt«, jetzt schüttelte Reifenberg den Kopf. »Die dürften ihm jeden Monat mehr als ein Taschengeld eingebracht haben.«

»Vergessen Sie Fechners Lügenmärchen«, schnaubte Büchler. »Der Drecksack sucht nur ein Bauernopfer, um sauber dazustehen. Und was gibt es da Besseres als einen Toten, der sich nicht mehr wehren kann?«

Nettelbeck blieb es erspart, darauf zu antworten, weil auf seinem Smartphone eine SMS einging. Täubner hatte Lebecks Nachricht weitergeleitet: Brigitte Reifenberg stand in ständigem Kontakt mit René Walcha. Höchstwahrscheinlich war sie die Gitte, mit der Walcha eine Affäre gehabt hatte. Interessant, dachte Nettelbeck, sehr sogar. Sein Blick fiel auf

Reifenberg. Ja, er würde nicht ins Büro fahren, sondern stattdessen Brigitte Reifenberg zu Hause aufsuchen. Und zwar ohne deren Ehemann in Kenntnis zu setzen. Das war zwar nicht sonderlich anständig unter Kollegen, doch wenn es darum ging, seine Ermittlungen erfolgreich voranzutreiben, kannte der Erste Kriminalhauptkommissar Martin Nettelbeck ebenfalls keine Hemmungen. Da war er seinem Expartner ziemlich ähnlich.

35

Seit sechs Uhr vierzig hatte Nadine auf der Parkbank am Lietzensee gesessen und gewartet. Sie hatte nicht einmal die Bilder fließen lassen, da sie es nicht verpassen wollte, wenn das kleine schwarze Mädchen zur Schule ging. Nach einer halben Stunde war es schließlich so weit. Efua Marie erschien mit einem großen Schulranzen, Modell Pirat, der mit einer Schatzkarte, einem Segelschiff und einer Totenkopf-Flagge verziert war. Echt furchteinflößend, feixte Nadine, damit kannst du vielleicht die oberfiesen Seeräuber aus deinen Kinderbüchern vertreiben, aber ob dir das auch im wahren Leben gelingt?

Das Mädchen lief zur Kantstraße und erreichte nach ein paar Minuten den Bahnhof Messe Nord. Nadine hatte diese S-Bahn-Station in den vergangenen zwei Wochen bestimmt fünfzig Mal passiert. Sie war auch mehrmals ausgestiegen, um von dort in den Bus umzusteigen. Efua Marie betrat ein Zugabteil und Nadine ging in den benachbarten Waggon, von wo aus sie die Kleine unauffällig im Auge behalten konnte. Am Bahnhof Halensee wechselten beide in den Bus und fuhren damit bis nach Zehlendorf.

Die Bushaltestelle lag direkt gegenüber der John-F.-Kennedy-School, einer deutsch-amerikanischen Gemeinschaftsschule. Efua Marie lief über die Straße, wo vor dem Schuleingang bereits zwei andere kleine Mädchen auf sie warteten. Eins mit europäischen und eins mit asiatischen Wurzeln. Mit ihrer afrikanischen Herkunft ergänzt Efua Marie das Trio perfekt, dachte Nadine. Die drei verkörperten wohl diese interkulturelle Toleranz, von der die beiden Betreuerinnen bei *Leben ohne Gitter* stundenlang gequatscht hatten.

Da es ein paar Stunden dauern würde, bis der Unterricht beendet war, setzte Nadine sich in das Wartehäuschen. Sie ging noch einmal den Plan durch, den sie in der vergangenen Nacht gemacht hatte. Er war perfekt. Sie hatte die Einzelheiten immer und immer wieder im Kopf durchgespielt. Sie wusste gar nicht mehr wie oft. Aber dieses Mal war ihr Plan wirklich makellos. Das musste er auch sein. Denn noch einmal konnte sie sich ein Scheitern nicht erlauben. Sieben Jahre Knast waren mehr als genug. Für ihre wunderschöne Petra hatten schon vier Jahre gereicht. Nadine seufzte. Dann schloss sie die Augen und ließ die Bilder fließen.

36

Geschlagene zehn Minuten lang hatte Wilbert Täubner sich Achim Lebecks Bericht anhören müssen. Über dessen Untersuchung beim polizeiärztlichen Dienst und die Reaktion seines Chefs auf die Nachricht, dass Lebecks Polizeidienstfähigkeit voll der Norm entsprach. Dann gelang es Täubner endlich, das Gespräch auf seine Ermittlung zu lenken.

Jetzt stand er mit dem Kriminaltechniker vor mehreren großen Arbeitsflächen, auf der der Metallschrott aus dem

Krossinsee verteilt worden war. Eine Menge Zeug hatten die Polizeitaucher aus der Schlammschicht hervorgeholt: einen Einkaufswagen, zwei Fahrräder, eine verbogene Schrotflinte, einen Motorblock, einen Wehrmachtsdolch aus dem Zweiten Weltkrieg und einen Uraltkopierer. Dazu noch sechs Eimer mit Kleinschrott wie Schrauben, Besteck und Werkzeugteilen, Feuerzeugen und Ähnlichem.

»Draußen im Hof stehen noch ein Zigarettenautomat und drei Tresore.«

»Im Ernst?«, fragte Täubner.

Lebeck nickte und zeigte auf die Eimer. »Aber eine Kugel ist da nicht drin gewesen. Ich habe alles noch mal gründlich gecheckt. Ich traue den Tauchern nämlich nicht. Willst du 'nen Energydrink?«

»Nein danke.«

»Dann kannst du dir ja schon mal Gedanken machen, aus welchen Einbruchsdelikten die Klamotten stammen könnten.«

»Achim, ich bin bei der Mordkommission. Ich gehöre zum Glück nicht zu den armen Schweinen, die diesen Schrott irgendwelchen Straftaten zuordnen müssen.«

»Da hast du aber Glück, was?«, grinste Lebeck.

Täubner nickte und grinste zurück.

»Im Tegeler See haben sie vor anderthalb Jahren sogar ein ganzes Auto rausgeholt. Saß aber keiner drin. Sonst hättest du dich darum kümmern müssen. Oder?«

»Zweifellos«, Täubner sah demonstrativ auf seine Armbanduhr. »Achim, ich bin ein bisschen in Eile … Gibt es sonst noch was?«

Lebeck nahm einen Energydrink aus seinem Kühlschrank, in dem sich die Dosen stapelten, riss ihn auf und setzte sich an seinen Arbeitstisch. »Sekunde, ich habe doch gesagt, dass ich keinen Kumpel hängen lasse …«

Kumpel ... Jetzt sind wir also schon Kumpel, dachte Täubner, womit habe ich das bloß verdient?

Lebeck sah Täubner an, hatte alle Zeit der Welt. »Und? Gespannt?«

»Achim, bitte ...«

»Okay, okay.« Der Kriminaltechniker leerte die Dose in einem Zug, warf sie, ohne hinzusehen, hinter sich in den Abfalleimer und zog eine Plastikschale heran, in der die Pistole lag, die neben René Walchas Leiche gefunden worden war. »Ich habe etwas entdeckt. Etwas, das am Abzug saß.« Lebeck hielt einen kleinen Plastikbeutel hoch, in dem ein winziges rotes Teilchen zu erkennen war. »Rate mal, was das ist.«

»Sag es mir doch einfach.«

»Spielverderber ... Also, das ist ein Lederpartikel, der erst kurz vor dem tödlichen Schuss auf die Pistole gekommen sein kann.«

»Woher weißt du das?«

»Er haftete auf einer organischen Flüssigkeit, die ich exakt bestimmen konnte. Und zwar auf Fruchtjoghurt. Mit naturidentischem Erdbeeraroma übrigens.«

»Und daraus folgt ...?«

»Fruchtjoghurt wurde weder im Magen- und Darmtrakt des Toten noch auf seiner Haut festgestellt. Ich habe deswegen extra noch mal mit Dr. Sprengel telefoniert. Nach meinen Berechnungen muss sich der Partikel etwa fünf Minuten vor dem Todeszeitpunkt dort festgesetzt haben. Das sagt mir der organische Zustand der Joghurtflüssigkeit.«

»Genial!«

»Danke. Manchmal habe ich eben auch meine hellen Momente. Nur bei Hanna waren die düsteren in der Mehrzahl. Obwohl ich eigentlich ...«

»Achim«, unterbrach Täubner ihn. »Wir können uns bei Gelegenheit gerne mal zusammensetzen und über die Sache mit deiner Freundin reden, aber im Moment passt es zeitlich schlecht …«

»Wirklich? Das würdest du tun?« Ein Strahlen ging über das Gesicht des Kriminaltechnikers. »Das wäre super, Kumpel!«

Täubner nickte schicksalsergeben. »Hast du eine Idee, woher der Lederpartikel stammt?«

»Ich tippe auf einen Radfahrerhandschuh. Und zwar auf Langfingerhandschuhe. Bei Halbfingerhandschuhen wäre auf dem Abzug logischerweise ein Fingerabdruck.«

»Logisch. Leuchtet ein.«

»Das ist übrigens kein echtes Leder, sondern Synthetik-Veloursleder. Die meisten Radfahrerhandschuhe werden daraus hergestellt. Und der Farbton Rot ist auch ziemlich gebräuchlich.«

»Damit scheint mir doch eindeutig bewiesen, dass René Walcha sich nicht selbst erschossen hat, sondern von jemandem getötet wurde. Oder siehst du das anders, Achim?«

»Zweifelsfrei«, nickte Lebeck. »Das geht vor jedem Gericht so durch.«

»Das Problem ist nur, dass weder Büchler, Hartl noch Reifenberg bei der Radtour Handschuhe getragen haben«, überlegte Täubner. »Zumindest hat die Spurensicherung keine sichergestellt.«

37

Der Kommissar staunte, als er in Frohnau vor dem Haus der Reifenbergs seinen Dienstwagen abstellte. Die Villa aus den späten Zwanzigerjahren war von einem parkähnlichen Garten umgeben und erkennbar eine Nummer zu groß für ein gewöhnliches Polizisteneinkommen. Selbst für einen hohen Dienstgrad wie Steffen Reifenbergs. Es war ein eleganter Backsteinbau im Stil der Neuen Sachlichkeit, der erst vor Kurzem mit viel Liebe restauriert worden war und jetzt fast wieder im Originalzustand glänzte. Davon zeugte eine blau-weiße Denkmalplakette neben der Eingangstür, die die Villa als Objekt von besonderem historischen Wert kennzeichnete.

Nettelbeck klingelte und es dauerte eine ganze Weile, ehe Brigitte Reifenberg ihm öffnete. Sie trug ein schlichtes schwarzes Kleid, war überschlank, hatte aschblonde Haare und sah ihn mit ihren schiefergrauen Augen ausdruckslos an. Ihre Gesichtsfarbe war bleich und ließ sie etwas kränk-lich wirken. Zu Nettelbecks Erstaunen sprach sie mit einer rauchigen Altstimme, die früher sicher einmal sehr erotisch geklungen hatte. Jetzt war sie glanzlos und matt.

»Ja, bitte?«

Nettelbeck stellte sich vor und sagte, er müsse sie wegen des Todes von Kriminaldirektor René Walcha sprechen. Brigitte Reifenberg bat ihn ins Haus. Sie hatte sich in der Küche gerade eine Tasse Weißdorntee zubereitet und fragte Nettelbeck, ob er auch eine wolle. Er nickte und sie schlug vor, dass er schon mal im Wohnzimmer Platz nehmen solle. Das Haus war elegant, aber zurückhaltend eingerichtet, so wie er es nach dem Außeneindruck erwartet hatte.

Es dauerte nicht lange, dann betrat Brigitte Reifenberg mit zwei Teetassen in den Händen das Wohnzimmer.

»Was möchten Sie wissen?«, fragte sie direkt.

»Seit wann hatten Sie mit Herrn Walcha eine Liebesbezie-hung?«, erwiderte Nettelbeck ebenso direkt, um sich das Heft nicht aus der Hand nehmen zu lassen.

Brigitte Reifenberg nahm eine Packung Zigaretten vom

Couchtisch und zündete sich eine an. Sie blies Rauchwolken in die Luft, offensichtlich, um Zeit zu gewinnen.

»Das ist Unsinn. Wer behauptet denn so etwas?«

»Uns liegt das Protokoll seines Telefonproviders vor. Allein in den vergangenen sechs Wochen haben Sie Herrn Walcha hundertzweiundsiebzig Mal angerufen.«

»Es ging dabei immer um … um Vorbereitungen für den Geburtstag meines Mannes und Ähnliches …«

Nettelbeck hielt es nicht für nötig, diese lachhaften Ausflüchte zu kommentieren. Stattdessen nahm er einen Schluck Tee und warf einen Blick in den Garten, der wie alles in dem Haus, einschließlich seiner Bewohnerin, vornehm und stilvoll war. Was ihn aber nicht sonderlich beeindruckte.

»Nun …?«, fragte Nettelbeck schließlich.

»Wer hat dieses Gerücht in die Welt gesetzt? Das ist eine üble Verleumdung«, sagte Brigitte Reifenberg.

»Nein. Normale Polizeiarbeit. Ein, zwei Telefonate … Sie waren nicht gerade besonders diskret.«

»Sie sind anmaßend«, sagte sie heiser. »So spricht man nicht mit mir.«

»Ach ja? Auf welchen Nebenkriegsschauplatz wollen Sie mich eigentlich locken, Frau Reifenberg?«

»Ich verstehe Sie nicht.«

»Sie verstehen mich sehr gut. Warum geben Sie es nicht zu?«

»Unverschämtheit! Sie haben keine Manieren!«

»Mag sein. Sie sind nicht die Erste, die das kritisiert. Das ist Ihr gutes Recht. Aber versuchen Sie nicht, mich für dumm zu verkaufen.«

Brigitte Reifenberg zog mehrmals heftig an ihrer Zigarette, dachte angestrengt nach. »Also schön, dann noch mal von vorne«, sie versuchte, entwaffnend zu lächeln, was ihr aber gründlich misslang. »Ich habe René zur selben Zeit wie meinen Mann kennengelernt. Wir mochten uns sofort. Ich hätte ihn damals nehmen sollen.« Sie drückte ihre Zigarette im Aschenbecher aus. »Wissen Sie, meine Ehe ist seit ein paar Jahren nicht mehr so, wie sie einmal war.«

Nettelbeck nickte. Den Satz kannte er. Seit er bei der Mordkommission war, hatte er ihn bestimmt schon hundert Mal gehört. So fingen häufig Geschichten an, die mit einem Toten endeten.

»Im letzten Spätsommer habe ich in Leipzig an einem Golfturnier teilgenommen. René und ich haben uns abends getroffen. Es war wunderbar, ganz anders als mit Steffen. Von da an haben wir uns regelmäßig gesehen.«

»Und Ihr Mann?«

»Der weiß davon nichts. Wir waren sehr vorsichtig«, sie zog eine neue Zigarette aus der Schachtel. »Ich kann einfach nicht begreifen, warum René das getan hat. Suizid, ausgerechnet er. René war so ein starker Mann, so bodenständig, stand mit beiden Beinen im Leben.« Hastig zündete sie sich die Zigarette an, nahm ein paar Züge, schaute sie angeekelt an und drückte sie aus.

»Verschiedene Personen haben mir Herrn Walcha als grüblerisch beschrieben.«

Reifenberg lachte gequält. »Er war nicht grüblerisch. Er war manchmal nachdenklich, aber er ruhte immer ganz in sich. Ja, das beschreibt es vielleicht am besten. Dieses In-sich-Ruhen.«

»Man hat mir auch zugetragen, dass Herr Walcha bestechlich war. Er soll sich wiederholt von Strafverdächtigen schmieren lassen haben und er hat Beweise vernichtet.«

»Was?« Geschockt sprang Brigitte Reifenberg auf, war außer sich, wirkte so, als wolle sie handgreiflich werden, sich auf den Kommissar stürzen. »Nein, Sie lügen! Nicht René!«

»Die Indizien sind relativ deutlich.«

»Ausgeschlossen! Nicht René. Er war ein außergewöhnlich ehrlicher Mann. Nichts hat ihn mehr angewidert als Korruption. Und mir geht es genauso.«

»Sie wissen also nichts von solchen Verstößen, haben nichts bemerkt?«

»Nein! Ich hätte mich sofort von ihm getrennt. Noch deutlicher kann ich es ja wohl nicht sagen. Bitte gehen Sie jetzt. Ich bin herzleidend. Ich muss mich schonen.«

Brigitte Reifenberg setzte sich wieder hin und nahm mit zitternden Händen einen Schluck von ihrem Tee.

Nettelbeck stand auf und legte seine Visitenkarte auf den Couchtisch. »Für alle Fälle ...«

Dann verließ er das Haus.

Brigitte Reifenberg sah ihm nach. Mit einer Mischung aus Hass und Verzweiflung.

38

Vor dem Schuleingang verabschiedete sich Efua Marie von ihren beiden Freundinnen, die mit einer anderen Buslinie über Teltow nach Potsdam fuhren. Als das Mädchen zu der Haltestelle ging, an der die Busse stadteinwärts hielten, kam ihr eine Frau entgegengelaufen. Efua hatte sie noch nie im Leben gesehen.

»Efua Marie? Bist du das? Ich heiße Nadine. Ich wohne auch am Lietzensee.«

»Und was machst du dann hier?«, fragte das Mädchen verwirrt.

»Deine Mutter hat mich angerufen und gebeten, dich abzuholen. Ich soll ein paar Stunden auf dich aufpassen.«

»Aber wieso denn?«

»Dein Bruder hat sich den Arm gebrochen. Sie muss ihn ins Krankenhaus bringen.«

»Mark Kojo? ... Ist es schlimm?«

»Nein, nein. Er bekommt einen Gipsarm und dann darf er wieder nach Hause. Gegen fünf Uhr sind sie bestimmt wieder zurück.«

Das kleine Mädchen überlegte angestrengt. Es war offensichtlich, dass es mit der Situation überfordert war.

Nadine gab ihr einen leichten Klaps und zeigte ihr einen Zwanzigeuroschein. »Guck mal, deine Mama hat mir Geld gegeben. Wir sollen einen Ausflug machen und irgendwo Eis essen. Oder einen Burger, wenn du willst.«

»Lieber Eis«, sagte Efua Marie zögerlich.

»Gut. Bist du schon mal mit der Ringbahn um ganz Berlin gefahren?«

Die Kleine schüttelte den Kopf.

»Das ist superklasse. Es dauert eine Stunde und der Zug hält an ganz, ganz vielen Stationen. Da kannst du unheimlich tolle Dinge sehen. Hast du Lust?«

Efua Marie nickte mit glänzenden Augen.

»Schau mal, da kommt schon unser Bus.«

Der X10-Bus hielt und die beiden stiegen ein.

39

Lutz Büchler schwänzte zwei nachmittägliche Tagungspunkte, um im Hotel den Wellnessbereich aufzusuchen. Er musste sich dringend abreagieren, sonst würde er wirklich noch zu diesem Fechner fahren und ihn sich vorknöpfen. Büchler hatte sich gerade Gewichte aufgelegt, als Wilbert

Täubner ihn auf dem Mobiltelefon anrief. Der Kriminaldirektor war über die Störung ziemlich fuchsig. Was gäbe es denn jetzt schon wieder? Täubner ließ Büchler im Unklaren und bat ihn, sich wegen einer weiteren Vernehmung um fünfzehn Uhr im LKA in der Keithstraße einzufinden. Seine beiden Freunde Hartl und Reifenberg würden selbstverständlich ebenfalls zum Gespräch kommen.

Trotz offensichtlichen Unmuts erschienen die drei Kriminaldirektoren pünktlich. Wer sich verspätete, war Martin Nettelbeck. Der Erste Kriminalhauptkommissar saß in einem indischen Straßenlokal und genoss in Ruhe eine Mung-Dal-Suppe mit Linsen und Koriander. Als er schließlich im LKA eintraf, besprach er erst einmal mit Täubner und Irina den neusten Stand ihres gemeinsamen Falls. Sie informierten ihn über den roten Lederpartikel, den Achim Lebeck auf der Pistole entdeckt hatte. Für den nächsten Morgen wollten Täubner und Irina eine erneute Durchsuchung des Leichenfundortes am Krossinsee ansetzen. Vielleicht fanden sie die roten Radfahrerhandschuhe ja irgendwo auf dem Campinggelände. Andernfalls müsste man zusätzlich das Reisegepäck der drei Kriminaldirektoren durchsuchen.

Nettelbeck war einverstanden und teilte seine Mitarbeiter ein: Irina bekam Max Hartl zugeteilt, Täubner übernahm Lutz Büchler und er selbst würde mit Steffen Reifenberg reden.

Sowohl Büchler als auch Hartl reagierten überrascht: Ihr Freund René hatte eine Affäre mit Brigitte Reifenberg? Davon hatten sie nichts gewusst. Unabhängig voneinander äußerten die beiden Kriminaldirektoren die Vermutung, dass diese Beziehung vielleicht aussichtslos gewesen sei und Walcha deswegen Suizid begannen habe. Das würde doch einiges erklären. Aber wirklich beurteilen könnten sie es nicht. Allmählich würden sie immer mehr unbekannte Seiten an ihrem toten Freund entdecken, es fiel ihnen zunehmend schwer, das in Einklang mit der Person zu bringen, die sie die ganzen Jahre gekannt zu haben glaubten. Insofern wirkten beide nicht überrascht, als die Kommissare ihnen mitteilten, dass sie jetzt verstärkt in Richtung Mord ermittelten.

Die Vernehmung von Steffen Reifenberg hingegen lief von Anfang an in eine andere Richtung. Der Kriminaldirektor nahm es beherrscht hin, als Nettelbeck ihn auf die Beziehung von René Walcha und seiner Frau ansprach. Er habe von Anfang an von dem Verhältnis gewusst und seinen Freund geradezu ermutigt, etwas mit Brigitte anzufangen. Obwohl Reifenberg seine Frau nach wie vor schätzte, hätten sie sich durch ihre Herzerkrankung auseinandergelebt. Die Ehe bestünde eigentlich nur noch auf dem Papier.

»Und wieso habe Sie uns nichts von der Affäre der beiden erzählt?«, hakte Nettelbeck nach.

»Meiner Frau zuliebe. Renés Tod hat Brigitte derartig mitgenommen, ich … Ich wollte sie nicht unnötig belasten. Nicht wegen so etwas Unwichtigem.«

»Das ist Nonsens, und das wissen Sie auch. Ihre Frau kann uns vermutlich wichtige Hinweise über René Walchas letzte Wochen geben. Wollten Sie das etwa verhindern?«

»Nein, mir ging es wirklich nur um Brigitte …«

»Unsere Ermittlungen gehen mittlerweile von Mord aus. Daher kann ich Ihnen nur raten, unsere Arbeit nicht unnötig zu behindern.«

»Das war und ist nicht meine Absicht. Bleiben Sie mal auf dem Teppich, Nettelbeck, und machen hier nicht auf beinharten Superbullen. Etwas Empathie kann ich in so einer Situation wohl erwarten. Gerade von einem Kollegen.«

Nettelbeck beließ es dabei und beendete die Vernehmung.

Kaum hatte Steffen Reifenberg das Zimmer verlassen, als Roger Delbrück sich auf Nettelbecks Smartphone meldete. Obwohl der Kommissar sich bedeckt hielt, schien sein Expartner über die neuen Befragungen informiert zu sein. Wenigstens klangen die Andeutungen danach. Delbrück vermied es aber, direkt zu werden, und schlug Nettelbeck ein Feierabendbier vor. Der war sofort einverstanden. Das war schon lange mal wieder fällig.

40

Die Kleine nervte. Nervte sogar ganz gewaltig. Nadine war mit ihr bereits zwei Mal die komplette Ringbahnstrecke abgefahren, zwei Mal um ganz Berlin herum. Nur weil Kai und Kerstin noch immer nicht zu Hause waren. Efua Marie war es sofort aufgefallen, dass sie die Rundstrecke wiederholten. Doof war sie nicht. Nadine hatte dem Mädchen weisgemacht, sie habe vergessen, wo genau sich das Café mit dem allerbesten Eis von ganz Berlin befand. Aber es werde ihr bestimmt gleich wieder einfallen. Als sie das dritte Mal den S-Bahnhof Prenzlauer Allee passierten, hatte Efua Marie so laut gequengelt, dass sie mit dem Mädchen an der nächsten Station aussteigen musste. Jetzt wüsste sie es wieder – das beste Eis von ganz Berlin gäbe es natürlich in der Schönhauser Allee!

In irgendeiner Gelateria Dolce Dingsbums kaufte sie der Kleinen einen Riesenbecher Spaghettieis. Sie selbst nahm nur einen Kaffee. Während Efua Marie zufrieden schmatzte, rief Nadine erneut bei Kai und Kerstin an. Und endlich wurde abgehoben. Kai war gerade heimgekommen, Kerstin noch bei der Arbeit. Ob sie nachher mal vorbeischauen könne, fragte Nadine. Klar, wann immer sie wolle.

Als sie etwas später wieder in der S-Bahn saßen, fiel Efua Marie ihr Bruder ein. Ob Mark Kojo inzwischen wohl aus dem Krankenhaus zurück sei?

Nadine schüttelte den Kopf: »So einen Arm einzugipsen, das ist nicht einfach. Das ist ziemlich kompliziert, das kann nicht jeder Arzt.«

»Nein?«

»Nur die ganz guten Ärzte. Und davon gibt es nicht viele. Deswegen muss man im Krankenhaus auch immer so lange warten.«

»Okay.«

»Aber ich rufe trotzdem mal bei euch zu Hause an …«

Nadine tat so, als würde sie eine Nummer eintippen, wartete eine Weile und ließ dann ihr Handy bedauernd sinken.

»Niemand da … Dann fahren wir noch ein bisschen S-Bahn, ja?«

Efua Marie schaute apathisch aus dem Fenster.

»Ist dir langweilig?«

Das Mädchen nickte.

»Ey, ich habe eine Idee. Wir besuchen Freunde von mir.«

»Wieso?«

»Die sind supernett. Die werden dir gefallen.«

»Ich habe aber keine Lust.«

»Dauert ja nicht so lange.«

»Nein, ich will nicht.«

Der Zug verlangsamte das Tempo und hielt am S-Bahnhof Westhafen.

»Hier müssen wir raus.«

Nadine Lemmnitz stand auf, nahm Efua Marie an die Hand und zog das widerstrebende Mädchen auf den Bahnsteig.

»Ich will nicht.«

»Komm.«

»Nein.«

»Du tust, was ich dir sage.«

Ohne die Kleine weiter zu beachten, hielt sie deren Hand mit eisernem Griff umklammert, schob sie in den Fahrstuhl und fuhr mit ihr zum Ausgang auf der Putlitzbrücke hoch.

»Du tust mir weh!«

»Wenn du nicht machst, was ich will, dann … dann passiert was!«

»Was denn?«, entgegnete Efua Marie patzig. »Du bist nicht meine Mama!«

»Trotzdem passiert was.«

»Lass mich los!«

»Sollen wir mal *Engelchen flieg* spielen?«

Nadine riss das Mädchen hoch und hielt es über das Geländer der Eisenbahnbrücke. Zehn Meter tiefer lagen die Gleisbetten der Bahn.

»Soll ich dich loslassen?«

»Nein! Nein!«

Unter Efua Marie brauste ein Güterzug durch, sie schrie vor Angst.

»Bist du jetzt brav?«

»Ja, ja!«

Nadine setzte die Kleine auf dem Asphalt ab und drückte sie an das Brückengeländer. Dann griff sie unter ihr T-Shirt, zog das Survivalmesser aus der Scheide und hielt es an den Hals des Mädchens.

»Hier! Damit werde ich dich töten, wenn du nicht genau machst, was ich dir sage! Ist das klar?«

Efua Marie nickte immer wieder, starrte auf das Messer, am ganzen Körper zitternd.

»Mit dem Messer habe ich schon ganz viele Menschen getötet. Ich bin nämlich eine Piratin!«

Die Kleine wirkte plötzlich verwirrt.

»Hast du das kapiert? Dann sag Ja.«

»Ja.«

»Gut. Deine Mutter und dein Bruder, die sind gar nicht im Krankenhaus. Die habe ich gefangen genommen und auf meinem Segelschiff eingesperrt. Wenn du nicht brav bist, dann steche ich sie mit meinem Messer ab.«

Efua Marie kamen die Tränen. »Warum?«

»Egal warum! Du darfst mit niemandem reden. Nur wenn ich es dir sage. Ist das klar?«

Efua Marie nickte verängstigt.

»Sonst müssen beide sterben. Und dein Papa auch. Willst du das?«

Das Mädchen schüttelte heftig den Kopf.

»Dann komm. Aber wenn du ein einziges Wort sagst, dann sind die drei tot. Und danach töte ich dich.«

Nadine versteckte das Survivalmesser wieder unter ihrem T-Shirt und nahm Efua Marie den Schulranzen ab.

»Den brauchst du nicht mehr.«

Nadine beugte sich über das Brückengeländer, um den Ranzen in ein Gebüsch zu werfen. Doch sie verfehlte es und er blieb neben den Schienen liegen.

»Scheiße.«

Sie griff nach Efua Maries Hand.

»Sei einfach nur stumm. Verstanden?«

Erneut nickte die Kleine.

Nadine klopfte nachdrücklich auf die Stelle des T-Shirts, unter der sie ihr Messer versteckt hielt.

»Oder ich … Du weißt ja, was passiert … Und jetzt lächle. Sonst denkt ja jeder, du hast was.«

Efua Marie gab sich alle Mühe, aber ein Lächeln wollte ihr nicht gelingen.

41

Kerstin Reinke stand in der Küche und packte Lebensmittel aus. Sie warf einen Blick in den Kühlschrank und überlegte.

»Was wollen wir heute essen?«, rief sie über die Schulter. »Soll ich uns die beiden Steaks braten?«

Kai Holm kam hinzu und begrüßte seine Freundin mit einem Kuss. »Wie war der Tag, Blondie?«

»Wie immer ... Die Steaks?«

»Lass uns lieber Spaghetti bolognese machen. Nadine kommt gleich noch rum. Dann kann sie mitessen.«

»Du magst Nadine, was?« Kerstin kicherte. »Wusste ja gar nicht, dass du auf so schräge junge Dinger abfährst.«

»Ich hab sie zuerst wirklich für völlig neben der Spur gehalten, aber das mit den Flüchtlingen finde ich richtig stark. Vor allem, wo sie gerade erst aus dem Knast raus ist.«

»Ja, richtig hammermäßig.«

»Ich werde ihr übrigens helfen.«

»Im Ernst?«

»Klar. Ich brauche sowieso dringend einen Ausgleich zu diesen Scheißschreibjobs, sonst gehe ich noch vor die Hunde.«

»Ich dachte, du stehst drauf, wenn du deine Mitmenschen so richtig piesacken kannst?«, kicherte Kerstin erneut.

»In Maßen, Blondie! Nur in Maßen. Und auch nicht alle meine Mitmenschen. Manche sind einfach viel zu süß dafür.«

Kai nahm seine Freundin in die Arme und küsste sie leidenschaftlich. Bis es schellte. Er ließ von Kerstin ab und ging öffnen.

Kerstin stellte eine große Pfanne auf den Herd. Dann ließ sie Wasser in einen Nudeltopf laufen.

»Schau mal, wen wir hier haben ...«

Kerstin drehte sich um und sah Nadine Lemmnitz, die mit einem kleinen schwarzen Mädchen im Flur stand. Es wirkte ziemlich verängstigt.

»Ja, hallo! Wer bist du denn?«, fragte Kerstin und lächelte.

»Sie spricht kein Deutsch. Nur Afrikanisch.«

»Ist das eines der Kinder?«, fragte Kai leise.

Nadine nickte. »Kann sie mal schnell zur Toilette? Sie muss schon die ganze Zeit dringend.«

»Natürlich, du weißt ja, wo«, sagte Kerstin und stellte das Wasser ab.

Nadine brachte Efua Marie zum Bad. Ehe sie die Kleine hineinschickte, legte sie ihre Hand bedeutungsvoll auf das versteckte Messer. Das Mädchen sah sie panisch an und nickte.

Nadine wartete, bis sich die Tür hinter Efua Marie schloss, dann ging sie zu Kerstin und Kai zurück.

»Ich habe die Kleine im letzten Moment vor der Ausländerpolizei verstecken können. Eine Minute später und sie hätten sie auch geschnappt.«

»Und was passiert nun mit ihr?«

»Unsere Anwälte versuchen, die Eltern freizubekommen. Ohne ihre Tochter wird man sie wahrscheinlich nicht abschieben, glauben die Rechtsverdreher. Hört mal, ich habe eine Riesenbitte. Ich verstehe auch, falls ihr Nein sagt.« Nadine lächelte Kai und Kerstin unsicher an.

»Schieß los«, sagte Kai. »Worum geht's?«

»Könnten das Mädchen und ich uns hier bei euch für ein, zwei Tage verstecken? Die Leute von der Ini geben mir Bescheid, sowie die Gefahr vorüber ist.«

»Ist von mir aus voll okay«, sagte Kai und warf Kerstin einen verschwörerischen Blick zu. »Oder was meinst du?«

»Kein Problem. Dann mache ich aber besser noch ein paar Spaghetti mehr.«

»Und ich gucke mal, ob nicht noch irgendwo 'ne Flasche Schampus kalt gestellt ist.«

»Sagt bloß, ihr killt jeden Tag so 'n Teil?«, grinste Nadine.

»Nicht jeden Tag ...«, prustete Kai Holm los. »Aber immer öfter!«

Die beiden Frauen stimmten in sein Lachen mit ein.

42

Martin Nettelbeck hatte sich mit seinem Expartner Roger Delbrück vor dem *Delphi Filmpalast* auf der Terrasse des *Café Quasimodo* verabredet, in Nähe des Bahnhofs Zoo. Für Nettelbeck war es ein mythischer Ort, hier hatte die Wiege des deutschen Jazz gestanden. Gegen Ende der Weimarer Republik hatten sich im *Delphi*, das damals noch ein Tanzlokal gewesen war, die Swing-Kids getroffen und zu ihrer Lieblingsmusik getanzt. Sogar in der Nazizeit war es ihr Treffpunkt geblieben, bis das Gebäude im Krieg bei Luftangriffen der Alliierten schwer beschädigt worden war.

Nach der Kapitulation fanden im Kellergeschoss des *Delphis* wieder Konzerte statt und in den Sechzigerjahren entstand hier das *Quasimodo*, einer der renommiertesten Jazzclubs Deutschlands. Die größten Jazzmusiker hatten in dem Club gespielt: Dizzy Gillespie, Chet Baker, Albert Mangelsdorff, Art Blakey, John McLaughlin, Herbie Hancock und viele andere. Nettelbeck war so häufig in Konzerten gewesen, dass er die genaue Zahl nicht wusste. Aber in den letzten Jahren traten hier leider kaum noch Jazzer auf, sondern hauptsächlich Soul- und Funkbands.

Nun saß er vor dem Café an einem der Tische und lauschte der Musik, die aus dem Innern erklang. Er war nicht ganz sicher, aber er glaubte, es war das Album *New York Breed* von dem fabelhaften amerikanischen Posaunisten Conrad Herwig. Aber das Stück kannte er definitiv: *Search for Peace* von McCoy Tyner.

»Ihr macht ja vielleicht eine Scheiße!«

Wie aus dem Nichts tauchte plötzlich Roger Delbrück auf und warf sein Jackett über einen Stuhl. Er funkelte Nettelbeck empört an.

»Vielleicht erst mal hinsetzen, Roger?«, grinste der Kommissar.

»Euch kann man keine fünf Minuten alleine lassen!«

»Eventuell auch ein Bier?«

Delbrück nickte und nahm Platz. Nettelbeck machte der Kellnerin ein Zeichen.

»Was gibt es für Probleme?«

»Das fragst du noch? Unglaublich!«, Delbrück klatschte mit der flachen Hand auf den Tisch. »Der Fall ist doch klar. Glasklar sogar. Eindeutig Suizid. Du solltest die Ermittlung schnellstens abschließen. Durch dein Rumgehampel gefährdest du den Ruf der gesamten deutschen Kriminalpolizei.«

»Der gesamten gleich …?«

»Jedenfalls den der Berliner. Es reicht doch wohl, dass wir uns wegen des Flughafens auf Jahrzehnte hinaus zum Affen machen.«

»Ich denke nicht, dass die Ermittlung schon so weit ist.«

»Und wie kommst du zu diesem einsamen Entschluss?«, fragte Delbrück sarkastisch.

»Es gibt erste Anzeichen dafür, dass René Walcha möglicherweise ermordet wurde.«

»Ich fasse es nicht! Du willst daraus jetzt wirklich eine
Mordsache basteln? Martin, bitte verschone mich damit!«

»Zu viele Punkte passen nicht zusammen, Roger. Mehrere
Sachverhalte sind unklar. Außerdem sind neue Erkenntnisse
aufgetaucht. Der kriminaltechnische Untersuchungsbericht
hat zweifelsfrei festgestellt, dass Walcha sich nicht selbst
erschossen haben kann.«

»Den Bericht möchte ich sehen!«

»Dann schau in die Akte. Darüber hinaus haben wir Hinweise bekommen, nach denen René Walcha korrupt war und
gegen Schmiergeldzahlungen Beweismittel vernichtet hat.«

»Scheiße.« Die Kellnerin brachte Delbrücks Bier und er
war froh, dass er einen Moment nachdenken konnte. Er
nahm das Glas und trank es mit einem Zug halb leer.

»Unter diesen Umständen muss ich dich wohl weiter ermitteln lassen.«

»Was anderes habe ich von dir nicht erwartet«, sagte Nettelbeck und lächelte.

43

Es war nicht viel los in dem Souvenirshop gegenüber der
russischen Botschaft und so starrte die Verkäuferin gelangweilt nach draußen, wo sich Unter den Linden die Touristen
einen Weg durch die zahlreichen Baustellen bahnten. Zwei
einsame Kunden begutachteten den üblichen Touristen-
kram: Ampelmännchen, Berliner Luft in Dosen und Buddy-
Bären. Daneben wurden auch Bücher, DVDs und anderes
zur Geschichte Berlins angeboten.

»Wonach suchst du denn, Lutz?«

»Ich brauche was für meine Jungs. Irgendwas, das ein bisschen was hermacht.«

»Wie wäre es hiermit? Quartett-Spiel *Berliner Currywurstbuden* ... Oder das da: ein Memory über die *East Side Gallery*.«

»Max, der eine ist zwölf, der andere dreizehn. Die lachen sich schlapp, wenn ich so was anschleppe.«

»Würde ich auch«, grinste Hartl.

»Eben.«

»Ich überlege, Simone ein Mauerstück mitzubringen.«

»Ernsthaft? Dir ist aber schon klar, dass das Ding bereits vor einem Vierteljahrhundert geschliffen worden ist?«

»Mir schon«, sagte Hartl. »Aber du kennst ja Simone. Die spricht heute noch von der Ostzone.«

»Na dann, hier hast du die perfekte Auswahl ...« Büchler schob seinem Freund einen Ständer mit Schautafeln zu, auf denen unterschiedliche Mauerstücke angeboten wurden. »Für jeden Geldbeutel was dabei.«

Es gab kleine Mauerstücke für bis zu dreißig Euro, mittelgroße Mauerstücke zum Preis von sechshundertdreißig Euro, die in Gießharz eingegossen waren und deren ursprüngliche Lage in der ehemaligen Mauer per Foto dokumentiert wurde. Und als Highlight ganze Mauer-Segmente, die für elftausendachthundert Euro zu erwerben waren, allerdings ohne Transportkosten. Der Souvenirshop garantierte für die Echtheit der Ware mit einem dem jeweiligen Kaufpreis angemessenen Zertifikat.

Hartl schüttelte den Kopf: »Wer's glaubt, wird selig ...«

»... wie dein Passauer Alt-Bischof immer zu sagen pflegt«, gluckste Büchler. »Dein Gottvertrauen möchte ich haben, Max ...«, er ballte seine rechte Faust. »Wir sollten uns diese Immobilienratte mal vorknöpfen.«

»Und wenn an der Sache was dran ist?«, fragte Hartl leise.

»Ist das dein Ernst?«

Hartl schüttelte den Kopf. »Nein.«

»Dachte ich mir.« Büchler sah eine Reihe mit DVD-Kassetten durch, Dokumentationen über die ehemalige DDR. Er nahm einen Film heraus, der sich mit dem Leben der Politbüro-Mitglieder in der Waldsiedlung Wandlitz befasste.

»Gab es unter Honecker eigentlich auch Korruption und Bestechung?«

»Im kleinen Rahmen bestimmt. Um an irgendwelche Mangelwaren zu kommen. Aber Korruption im Sinne von …« Hartl schaute seinen Freund an. »So wie man es René unterstellen will?«

»Ja, versteckte Korruption. Wie es unsere westdeutschen Schmeißfliegen perfektioniert haben.«

»Das gab es vermutlich nicht«, sagte Hartl. »Obwohl die DDR-Jungs im Tarnen und Täuschen ja Weltniveau hatten.«

»Aber René war kein Champion auf dem Gebiet. Definitiv nicht.«

»Nein. Fragt sich nur, wer ihm den ganzen Dreck in die Schuhe schieben will.«

»Das sollten wir rausfinden. Das sind wir René schuldig.«

»Sehe ich genauso, Lutz.«

»Vielleicht würde es uns weiterbringen, wenn wir mal einen Blick in die Akte werfen.«

»Lass uns Roger Delbrück anzapfen …«

»Meinst du, er verschafft uns einen Zugang?«

»Versuchen können wir es.«

Büchler nickte und legte die Korruptions-DVD in sein Warenkörbchen.

44

Beschwingt durch das Treffen mit Roger Delbrück betrat Martin Nettelbeck seine Wohnung. Die Feierabendbiere hatten ihn entspannt. Auch wenn der Anlass dazu im Grunde nicht erfreulich gewesen war. Aber er kannte seinen Expartner und nahm dessen Indoktrinierungsversuche nicht ganz ernst.

Philomena saß mit dem Telefon in der Hand am Küchentisch. Vor ihr lagen ein Stift und eine lange Namensliste mit Telefonnummern. Bis auf zwei waren alle abgehakt. Sie schaute ihren Freund besorgt an.

»Efua Marie ist verschwunden. Ich habe schon mit allen Freunden und Bekannten telefoniert. Und mit der Schule … Niemand weiß, wo sie ist.«

»Hey«, Nettelbeck setzte sich zu ihr. »Ganz ruhig. Hast du schon den Polizeinotruf informiert? Die 110?«

»Nein. Ich habe auf dich gewartet. Dein Handy war nicht erreichbar.«

»Ich weiß, es hat vorhin schlappgemacht. Ich habe es gestern nicht richtig geladen. Wann hatte Efua Marie denn heute Schulschluss?«

»Eigentlich um sechzehn Uhr. Donnerstag ist immer ihre Schwimmgruppe. Aber wegen der Erkrankung einer Lehrerin ist der Termin ausgefallen.«

»Okay. Und Mark Kojo? Weiß der was?«

»Er hat nichts mitbekommen, sagt er. Jetzt ist er in seinem Zimmer und macht Schularbeiten.«

Nettelbeck schaute auf seine Uhr. Es war kurz nach sieben.

»Philomena, wir warten bis halb acht. Und du versuchst es

noch mal bei diesen zwei Nummern«, er tippte auf die beiden noch nicht abgehakten Stellen in der Liste. »Dann gehen wir zum zuständigen Abschnitt und erstatten eine Vermisstenanzeige.«

»Kannst du das nicht alleine machen? Ich bleibe lieber so lange am Telefon. Falls Efua doch anruft …«

»Das geht leider nicht. Du musst die Anzeige persönlich aufgeben, da wir nicht verheiratet sind.«

»Okay. Aber du kommst mit, ja?«

»Natürlich. Und Mark Kojo wird das Telefon bewachen«, Nettelbeck nahm seine Freundin in den Arm. »Liebling, Efua taucht schon wieder auf. Wahrscheinlich hat sie bloß irgendwo die Zeit vergessen.«

Philomena warf ihm einen dankbaren Blick zu, aber beide ahnten, dass das nicht stimmte.

45

Schon seit vier Jahren hatten Brigitte und Steffen Reifenberg getrennte Schlafzimmer. Grund war ein erlahmendes sexuelles Interesse beiderseits, ein schleichendes Austrocknen der Leidenschaft. In der Hoffnung, die sexuelle Spannung und Lust durch getrennte Schlafzimmer zu steigern, hatte Steffen diesen Schritt vorgeschlagen und Brigitte war einverstanden gewesen. Sie träumten beide von aufregenden, nächtlichen Besuchen im Zimmer des anderen, aber solche Eskapaden waren eher banal und verebbten bald. Erneut machte sich Langeweile breit und was ursprünglich als Rettung eines dahindämmernden Sexuallebens gedacht war, erwies sich für ihre Ehe als erster von mehreren Todesstößen.

Brigitte fehlte die körperlicher Nähe zu ihrem Partner, das

Kuscheln beim Einschlafen und das Gefühl von Geborgenheit. Sie begann Steffen aus der Distanz zu betrachten, entdeckte negative Züge an ihm, die ihr vorher nie aufgefallen waren. Ihre Ablehnung wurde mit der Zeit stärker, manchmal spürte sie sogar kurze Momente des Ekels. Bis sie das erste Mal an Trennung dachte. Ein Gedanke, der sie nicht mehr losließ. Als sie dann erkrankte, schreckte sie vor einem so einschneidenden Schritt zurück. Noch mehr jedoch sprach ihre taufrische Liebesbeziehung mit René gegen einen Rosenkrieg. Brigitte wollte jede Minute mit ihrem Liebhaber genießen und sie nicht durch Scheidungsstreitigkeiten belasten. Sie wusste inzwischen, dass ihr nicht mehr viel Zeit blieb.

Am späten Nachmittag hatte sie sich hingelegt und war eingeschlafen. Als sie auf ihren Radiowecker schaute, war es bereits kurz vor acht. Brigitte machte sich im Bad etwas frisch und ging dann ins Erdgeschoss.

Steffen Reifenberg saß am Esstisch und belegte sich ein Brot. Er blickte seine Frau ausdruckslos an.

»Ich habe einen Auflauf vorbereitet«, sagte Brigitte Reifenberg nach einer halben Ewigkeit. »Soll ich ihn heiß machen?«

»Danke, geht schon.«

Sie setzte sich ihm gegenüber hin und verschränkte die Arme. »Einer deiner Kollegen war heute hier.«

»Wer denn?«

»Ein Kommissar Nettelbeck.«

»Ach ja? Und was wollte er?«

»Weißt du das nicht?«

»Nein, sag es mir ...«

»Er hat mich zu meinem Verhältnis zu René befragt.«

Steffen lächelte sie stumm an.

»Möchtest du nicht wissen, was ich ihm geantwortet habe?«

»Dass du mit ihm gefickt hast?«

»Ordinäres Schwein.«

Steffen stand auf, ging zum Kühlschrank und nahm ein Bier heraus. Er trank direkt aus der Flasche. »War es nicht so?«

»Da war schon einiges mehr.«

»Wie schön, dann konnte er seine letzten Monate ja noch so richtig genießen.«

»Warum habt ihr ihn umgebracht?«

»Was?«

»Weshalb musste René sterben?, frag ich dich.«

»Er hat sich selbst erschossen. Es war Suizid.«

»Rede keinen Schwachsinn. Du weißt genau, dass René so etwas niemals gemacht hätte.«

»Manchmal kann man sich in einem Menschen irren.«

»Ihr habt ihn gemeinsam getötet. Lutz, Max und du. Oder war es einer von euch alleine? Stellvertretend für die ganze Mannschaft?«

»Drehst du jetzt völlig durch?« Steffen Reifenberg lachte auf, trank seine Flasche leer und stellte sie beiseite.

»Du hast es getan, ja? Gib es zu, Steffen. Ich will nur die Wahrheit wissen.«

»Die Wahrheit …«

»Ja. Ich kann René doch nicht mehr lebendig machen.«

Steffen Reifenberg nahm sich ein zweites Bier aus dem Kühlschrank. Er trank einen Schluck und grinste seine Frau an. »Du willst also die Wahrheit wissen … Und ich? Was ist mit mir? … Was ihr beiden hinter meinem Rücken getrieben habt, war also okay?«

»Du hast ihn getötet, weil er mit mir eine Affäre hatte?«

Reifenberg lachte: »So ein Kracher bist du nun auch nicht, Schatz, dass er deswegen sterben musste.«

»Und weswegen dann?«

»Warum sollte ich René töten? Ich kenne ihn länger als dich. Er war mein Freund. Vergiss das nicht. Auch wenn er mich betrogen hat. Er war immer noch mein Freund. Und jetzt möchte ich über das Thema nicht mehr reden.«

Reifenberg verließ den Raum und seine Frau sah ihm nach. Sie fragte sich, ob er die Wahrheit gesagt oder gelogen hatte. Auch wenn Steffen ihr in den letzten Jahren immer fremder geworden war, seine Emotionen, seine Gestik und Mimik konnte sie immer noch perfekt lesen. Darin hatte sie es in ihrer Ehe zur Meisterschaft gebracht. Das glaubte sie jedenfalls. Aber …

… aber es waren Kleinigkeiten, die sie irritierten. Dinge, die ihre Sensoren unnachgiebig registriert hatten. Wie Steffen sich beim Reden mehrmals ans Ohr gefasst hatte, wie er nach jedem Satz blinzeln musste. Alles vertraute Anzeichen dafür, dass er sie belog, wenn er sie von seiner Ehrlichkeit überzeugen wollte. Für Brigitte gab es dafür nur eine Erklärung – ihr Mann hatte ihren Liebhaber getötet. Aber sie wusste auch, dass es niemanden gab, der René rächen würde.

46

Das ehemalige Polizeipräsidium Charlottenburg, in dem seit Langem schon der Abschnitt 24 der Direktion 2 untergebracht war, lag am Kaiserdamm und war von Nettelbecks Wohnung aus in wenigen Minuten zu Fuß erreichbar. Der Kommissar konnte sich nicht erinnern, wann er das letzte Mal das Gebäude betreten hatte, es musste irgendwann in den Neunzigerjahren gewesen sein. Bei der Aufnahme der Vermisstenanzeige hatte er sich beim zuständigen Beamten extra mit seinem Dienstgrad vorgestellt – als Erster Kriminalhauptkommissar Martin Nettelbeck vom Landeskriminalamt 1.

Das geschah nicht etwa in der Hoffnung, die Suche so beschleunigen zu können, als vielmehr, um Philomena ein wenig zu beruhigen. Sie sollte sicher sein, dass die Polizei wirklich alles unternehmen würde, um ihre Tochter wiederzufinden. Und das würde sie auch. Unabhängig davon, ob er ein Kollege war oder nicht. Bei vermissten Kindern gab es keine bevorzugte Behandlung, konnte durch Beziehungen nicht Druck auf die Ermittler ausgeübt werden. Im Gegensatz zu vermissten Erwachsenen, die das Recht hatten, ihren Aufenthaltsort frei wählen zu können, ohne es jemanden mitteilen zu müssen, wurde bei Minderjährigen grundsätzlich von einer Gefahr für Leib oder Leben ausgegangen.

Da das Thema vermisste Kinder in der Öffentlichkeit einen sehr hohen Stellenwert hatte und die Medien über Einzelfälle intensiv berichteten, wurde suggeriert, dass die Anzahl nicht wieder aufgefundener Kinder dramatisch hoch sei und die Polizei nicht genug tun würde. Aber Nettelbeck wusste, dass das nicht so war. Gerade bei einem vermissten Kind taten die Kollegen das Menschenmögliche und die Aufklärungsquote lag bei nahezu hundert Prozent. Dem Kriminalkommissar war aber klar, dass das für seine Freundin in dieser Situation nur ein sehr schwacher Trost sein würde.

Nettelbeck hatte ein aktuelles Foto von Efua Marie mitgebracht und Philomena dem zuständigen Beamten ihre Kleidung und den Schulranzen beschrieben. Die körperlichen Merkmale waren alle erfasst worden, Besonderheiten wie eine Zahnspange oder eine Brille lagen nicht vor. Ordnungshalber gab der Beamte ihnen noch ein paar Hinweise, wie sie sich in den nächsten Stunden zu verhalten hatten. Das Wichtigste: Sie sollten unbedingt die Telefonleitung frei halten und sich sofort melden, wenn es eine Neuigkeit gab. Was immer das auch sein mochte.

Auf dem Heimweg hatten der Kommissar und seine Freundin kein einziges Wort gewechselt. Hatten sich nur stumm an den Händen gehalten. Zu sagen gab es jetzt nichts. Nur noch warten und hoffen.

47

Der kleine Raum, in dem Nadine Lemmnitz und Efua Marie untergebracht worden waren, lag am Ende des Flures und diente gleichzeitig als Archiv und Gästezimmer. Die Wände waren vollgestellt mit Regalen, in denen sich CDs, Bücher und kistenweise vergilbte Musikmagazine stapelten – Kai Holms gesammeltes Lebenswerk.

Das Mädchen und ihre Entführerin lagen nebeneinander in dem schmalen Gästebett. Es war dunkel, nur durch einen Spalt im Vorhang drang etwas Licht hinein. Man hörte leises Weinen und Nadine legte die Hand auf ihr Survivalmesser.

»Sei ruhig!«

Das Weinen verstummte.

»Willst du nicht langsam mal schlafen?«, zischte Nadine. »Du nervst.«

»Ich kann nicht.«

»Wieso nicht?«

»Papa liest mir immer noch was vor.«

»Spinnst du?«

»Ich kann doch nichts dafür.«

»Soll ich dir noch mal mein Messer zeigen?«

»Nein.«

Eine Weile war Stille, dann hörte man wieder leises Weinen.

»Was für Scheißgeschichten erzählt dir dein Papa denn?«, fragte Nadine, obwohl es ihr völlig egal war, welchen Quatsch der Bulle dem Mädchen vorlas.

»Pipi Langstrumpf? Kennst du die?«

Nadine kannte Pipi Langstrumpf. Aus dem Fernsehen. Sie wusste aber nicht, dass es auch Bücher mit Pipi Langstrumpf gab. Nadine hatte im Knast nur manchmal etwas gelesen. Illustrierte und keine Kinderbücher.

»Ist das dieses rothaarige Mädchen mit dem Pferd?«

»Ja, das heißt kleiner Onkel. Und ihre anderen Freunde heißen Herr Nilsson, Annika und Tommy.«

»Und das liest dir dein Papa vor?«

»Jeden Abend.«

»Magst du deinen Papa?«

»Ja, der ist ganz lieb.«

»Schön für dich. Schlaf jetzt. Sonst wird dir dein Papa nämlich nie mehr eine Gutenachtgeschichte erzählen. Dann bekommt er nämlich mein Messer in den Bauch! Hast du das kapiert?«

»Ja.«

»Dann schlaf und hör auf zu weinen.«

Efua Marie verstummte. Sie starrte im Dunkeln an die Wand und sagte sich immer wieder: Nicht weinen! Nicht weinen! Nicht weinen! …

Nadine drehte sich auf die Seite, hielt das Survivalmesser umklammert und schloss die Augen. Sie wollte die Bilder fließen lassen. Doch nichts passierte. Vor ihrem inneren Auge blieb es dunkel. So sehr sie sich auch konzentrierte. Der Fluss war versiegt.

48

In der Nacht hatten Philomena Baddoo und Martin Nettelbeck kein Auge zugemacht, waren höchstens mal kurz weggenickt. Die Sorge um Efua Marie ließ Schlaf nicht zu. Während Philomena sich unruhig im Bett wälzte, wanderten ihre Gedanken über ihre Tochter und die Arbeit ihres Lebensgefährten hin und her. Sie wusste, dass Martin seinen Beruf sehr ernst nahm und dass er im Kreis der Kollegen ein hohes Ansehen genoss.

Philomena war ihm zum ersten Mal bei einer seiner Ermittlungen begegnet. Die Hartnäckigkeit, mit der er den Fall aufgeklärt und für Wiedergutmachung gesorgt hatte, war beeindruckend gewesen. Dies war mit einer der Gründe, warum sie sich in ihn verliebt hatte. Und bis zum heutigen Tag hatte sie das nicht eine Sekunde lang bereut. Im Gegenteil. Martin hatte ihre Kinder als seine eigenen angenommen und kümmerte sich rührend um sie. Deshalb wäre es Philomena lieber gewesen, Martin selbst würde sich um ihre verschwundene Tochter bemühen. Aber dazu war er nicht befugt, wie er ihr bedauernd erklärte. Immerhin hatte er ihr versprochen, dass er mit den zuständigen Kollegen reden würde.

Nettelbeck hatte zehn Minuten eiskalt geduscht, um seine Lebensgeister irgendwie zu aktivieren. Während das Wasser auf ihn niederprasselte und seine Blutzirkulation in Gang brachte, versuchte er ruhig und tief zu atmen. Er dachte an Efua Marie, dachte an den anstrengenden Tag, der ihn erwartete. Dann stellte er das Wasser aus, trocknete sich ab und zog sich an.

Als Nettelbeck aus dem Bad kam, klingelte das Telefon. Philomena kam in den Flur gerannt und der Kommissar warf ihr einen fragenden Blick zu. Sie nickte und er hob ab.

»Nettelbeck-Baddoo ... – Das ist richtig. – Wo ist unsere Tochter, was haben ... – Okay, dann reden Sie. – Dazu sind wir selbstverständlich bereit. – Doch, so viel Geld können wir aufbringen. – Einen Tag? Ja, das schaffen wir. – Kann ich mit meiner Tochter reden? – Wann kann ich denn dann mit ihr sprechen? – Gut, wir sind unter dieser Nummer rund um die Uhr erreichbar. – Warten Sie, kann ich vielleicht doch noch kurz ...«

Der Kommissar hörte, wie seine Gesprächspartnerin auflegte. Ihm kam die Stimme irgendwie bekannt vor. Heiser und kratzig. Ein Organ, das gut zu einer Trinkerin passte. Unmöglich, das Alter der Person zu schätzen.

»Es war eine Frau. Efua Marie ist bei ihr. Es geht ihr gut, sie hat ihr nichts getan.«

»Gott sei Dank ...«

»Die Frau will Geld.«

»Wie viel hat sie verlangt?«

»Hunderttausend Euro. Das kriege ich von meiner Bank, Philomena. Gar kein Problem.«

Nettelbecks Freundin kamen die Tränen. Zum ersten Mal, seit das Mädchen verschwunden war. Der Kommissar nahm sie in die Arme.

»Ich kenne die Stimme der Frau. Ich weiß nur noch nicht, woher. Aber es wird mir wieder einfallen. Ganz sicher.«

»Und was passiert jetzt?«

»Wir müssen das Dezernat 11 einschalten. Die kümmern sich um Entführungen und erpresserischen Menschenraub. Die sitzen bei mir in der Keithstraße. Eine Etage tiefer.«

»Soll ich auch mit meiner Bank reden?«

»Warte noch. Vermutlich wird ein Team hergeschickt, das den ganzen Tag hierbleibt, falls ein weiterer Anruf kommt.«

»Okay. Und du?«

»Ich fahre ins Büro und spreche mit den Kollegen vom Dezernat 11. Ich kenne den Leiter ziemlich gut. Und danach melde ich mich sofort bei dir. Aber auf deinem Smartphone.«

»Ja.«

»Also, ich mache uns jetzt Frühstück und du weckst Mark Kojo. Wir müssen dem Jungen sagen, dass seine Schwester noch nicht wieder da ist. Oder soll ich das machen?«

Philomena schüttelte den Kopf und wischte sich die Tränen weg. »Danke, Martin.« Dann verschwand sie im Kinderzimmer.

Der Kommissar sah ihr nach. Seine Gedanken wanderten zu einer anderen Frau. Zu der unbekannten Anruferin. Deren Stimme er kannte. Da war er sich absolut sicher. Und er würde herausfinden, wann er sie schon einmal gehört hatte. Und wo das gewesen war.

49

Nachdem sie sich abgewischt hatte, stand Nadine Lemmnitz vom Klo auf und verstaute ihr Handy. Lief doch alles super. In der Nacht hatte sie lange wach gelegen, bis das Mädchen irgendwann ruhig geworden und eingeschlafen war. Während sie ins Dunkle starrte, war ihr die Idee gekommen. Warum den Bullen nicht erst mal finanziell ein bisschen bluten lassen, ehe er es auch im wirklichen Leben musste. Wenn sie ihm nämlich das Messer ins Herz rammen und es dann langsam umdrehen würde. Hunderttausend Euro waren ja nicht viel Geld. Die musste der Bulle auftreiben können. Auch kurzfristig. Er war Beamter, er schwamm doch nur so in Kohle. Alles kein Problem. Nadine machte viel mehr zu schaffen, dass sie die Bilder nicht abrufen konnte. Die Erinnerungen an ihre wunderschöne Petra.

50

Sie waren bereits unterwegs zum Campingplatz am Krossinsee, als Nettelbeck sich bei Täubner und Irina meldete. Der Kriminalhauptkommissar berichtete in knappen Worten, dass Efua Marie entführt worden sei und jemand vor einer Stunde ein Lösegeld gefordert habe. Den jungen Ermittlern war klar, dass sie nichts tun konnten, aber pro forma versicherten sie Nettelbeck, dass er jederzeit über sie verfügen könne, falls er in der Angelegenheit etwas unternehmen wolle. Der Kommissar dankte den beiden. Er werde jetzt erst einmal mit den Kollegen vom Dezernat 11 sprechen und sich deren Lageeinschätzung anhören. Und sich danach wieder um ihren eigenen Fall kümmern.

Während Täubner und Irina die zur Verfügung gestellte Hundertschaft Polizeibeamter einteilten, die das Campinggelände mit Stöcken großflächig nach roten Fahrradhandschuhen absuchen sollte, kam ihr Gespräch immer wieder auf das entführte Mädchen zurück. Sie wussten, dass die Entführung des eigenen Kindes für Eltern eine extreme seelische Belastung darstellte, die jegliche Form von Grausamkeit überstieg. Erwachsene erlebten in dieser Situation einen Grad an Hilflosigkeit, den viele nur mit Medikamenten überstehen konnten. Oft waren ihre psychischen Wunden genauso tief wie die des gekidnappten Kindes. Zurück blieben häufig schwere Traumata.

»Ich frage mich, wie Martin das aushält«, sagte Irina. »Wieso er sich nicht freistellen lässt.«

»Das ist nicht so einfach. Er ist nicht der Vater der Kleinen. Rein rechtlich hat er keinen Anspruch.«

»Vielleicht ist es auch besser, dass sich Martin mit unserem Fall ablenkt, als wenn er jetzt zu Hause rumhockt.«

»Stimmt. Da wäre er nur dem Verhandlungsteam vom Dezernat 11 im Weg. Und die fänden es bestimmt nicht so prickelnd, wenn ihnen ein Kollege ständig reinredet.«

Die Campingplatzbesitzerin Rosa Engelbosch kam angeradelt und hielt neben den Ermittlern an.

»Ich bin mal für zwei Stunden weg, beim Zahnarzt. Falls es irgendein Problem gibt … Mein Mann Jos ist vorn in der Rezeption. Der hilft Ihnen gern.«

Rosa Engelbosch lächelte den Ermittlern zu und radelte davon.

Täubner und Irina nahmen beide einen Stock aus den Transportkörben und gingen zum See. Während sie die Uferbepflanzung sorgfältig absuchten, hing jeder seinen Gedanken nach und hoffte das Beste für die kleine Efua Marie.

51

Es war noch nicht oft vorgekommen, dass Martin Nettelbeck in Jutta Koschkes Büro gesessen hatte, ohne von ihren ausgestopften Fischleichen Notiz zu nehmen. Heute war so ein Tag. Der Kommissar wirkte bedrückt, fast schon vergrämt, so hatte die Kriminalrätin ihn noch nicht oft erlebt. Die Nachricht über die Entführung seiner Tochter war auch für sie ein Schock gewesen. Koschke hatte Efua Marie erst einmal gesehen, als Nettelbeck dem Mädchen und ihrem Bruder seinen Arbeitsplatz gezeigt hatte. Aber die Kriminalrätin hatte es als unheimlich süßes Kind in Erinnerung behalten, mit riesengroßen Kulleraugen.

»Martin, du kannst dir selbstverständlich Urlaub nehmen. Gar kein Problem. Ein paar Tage kommen Frau Eisenstein und Herr Täubner schon alleine klar. Und zur Not kann ich jemanden von einem anderen Fall abziehen.«

»Danke, aber das wäre nicht richtig.«

»Du hast aber nicht vor, dich in die Entführungsermittlung einzuklinken, oder? Das wäre auch nicht richtig.«

Koschke nickte. »Kümmere dich trotzdem erst mal um deine Familie und stell den laufenden Fall hintenan, Martin. Hat sich Roger eigentlich noch mal nach dem Stand der Ermittlungen erkundigt?«

»Ja.«

»Und was hat er gesagt?«

»Nichts. Nur so allgemein.«

»Gut, ich hatte schon befürchtet, er würde vielleicht versuchen, seine drei Kriminaldirektorenfreunde gezielt aus dem Schussfeld zu bringen.«

Trotz seiner deprimierten Verfassung war Nettelbeck auf der Hut, ging Koschke diesmal nicht auf den Leim. »Hat er nicht.«

»Dann ist ja alles bestens … Ich meine, fast alles«, bemühte sich die Kriminalrätin den drohenden Fauxpas zu entkräften. »Ich werde mich persönlich bei Heiner Materna dafür starkmachen, dass er seine besten Leute mit der Entführungssache betraut. Einverstanden?«

Erneut nickte Nettelbeck.

»Ich kann ganz gut mit Heiner. Und außerdem ist er mir noch was schuldig.«

»Danke, Jutta.«

»Dafür nicht.« Die Kriminalrätin lächelte ihren Untergebenen aufmunternd an.

Diese Situation gab ihr vielleicht die Möglichkeit, bei Martin Nettelbeck etwas gutzumachen. Nichts, was mit beruflichen Dingen zu tun hatte, in dem Punkt hatte sie sich zum Glück noch nie etwas zuschulden kommen lassen, wohingegen Martin …

Aber das war jetzt nicht wichtig. Was jedoch ihre geliebten Fischtrophäen betraf, da hatte Martin Nettelbeck einen Großmut gezeigt, den sie ihm niemals vergessen würde.

52

Es war die berühmte Suche nach der Nadel im Heuhaufen. Das war allen Polizeibeamten klar, die den Campingplatz systematisch durchkämmten. Aber so funktionierte nun einmal die ganz alltägliche Polizeiarbeit. Alle waren konzentriert, nur wenige Sätze wurden gewechselt. Nach einer Stunde fand eine Polizistin in einem Gebüsch einen Babyfäustling, etwas später einer ihrer Kollegen einen völlig verdreckten Einweghandschuh. Alles wurde sorgfältig eingetütet, obwohl es nicht dem ausgegebenen Suchprofil entsprach.

Gegen Mittag hatte man das Gebiet komplett durchsucht, selbst das kleinste Grasbüschel war von unten nach oben gekehrt worden. Nichts. Keine Radfahrerhandschuhe unter den Fundstücken. Und schon gar keine in Rot. Wilbert Täubner ließ die Suche abbrechen.

Zwanzig Minuten später standen die zwei Ermittler in der Campingplatzrezeption, während die Mannschaftswagen mit den Polizeikräften bereits abfuhren. Jos Engelbosch, Rosas drahtiger und braun gebrannter Ehemann, hatte die beiden noch zu einem Kaffee eingeladen.

»Tut mir leid, dass Ihre Leute nichts gefunden haben.«

»War ja nur ein Versuch«, lächelte Irina. »Solche Aktionen sind häufig vergeblich.«

Täubner warf einen Blick auf sein Smartphone: »Hat sich Martin bei dir gemeldet?«

Irina schüttelte den Kopf und trank aus.

»Okay, dann vielen Dank für den Kaffee«, sagte Täubner. »Vermutlich war das heute unser letzter Besuch hier.«

»Schade«, sagte Jos Engelbosch. »Vielleicht kommen Sie ja mal privat. In der Hauptsaison machen wir jede Woche einen großen Grillabend. Mit Livemusik und allem Pipapo. Eine Mordsstimmung immer. Warten Sie …«

Der Campingplatzbesitzer suchte auf der Verkaufstheke nach einem Informationszettel und eine Broschüre fiel zu Boden. Irina hob sie auf.

PARADISE FOR NACKEDEIS
First-Class-FKK in Germany

Jos Engelbosch nahm Irina die Druckschrift ab und gab ihr einen Flyer mit den aktuellen Grillabendterminen.

»Das ist der richtige … Oder interessieren Sie sich zufällig für Freikörperkultur? Dann könnte ich Ihnen ein paar echte Insidertipps geben.«

»Nicht so sehr«, lächelte Irina. Sie steckte den Flyer ein, verabschiedete sich und folgte Täubner nach draußen.

Draußen stieg gerade Rosa Engelbosch von ihrem Rad. »Und? Waren Sie erfolgreich?«

Eisenstein schüttelte den Kopf. »Leider nicht. Bei Ihnen ist es einfach zu sauber.«

»Sagen Sie das mal der Berliner Stadtreinigung. Die streiken seit letztem Freitag. Der Gestank hinterm Haus ist kaum noch auszuhalten.«

»Wieso?«, fragte Täubner. »Wurde der Abfall die ganze Zeit etwa nicht abgeholt?«

»Natürlich nicht. Wir haben kaum noch Platz für die ganzen Säcke. Spätestens am Montag muss ich eine private Entsorgungsfirma beauftragen. Was das wieder kostet …«

»Könnten wir uns den Müll mal ansehen?«

»Sicher.«

Fünf Minuten später standen Täubner und Eisenstein in einem Abstellraum, der bis auf die kleinste Ecke mit Müllsäcken gefüllt war. Beide Ermittler trugen Schutzanzüge und Einweghandschuhe. Der Gestank war barbarisch.

»Jetzt lernst du mal den richtigen Polizeialltag kennen«, grinste Täubner. »Willst du nicht doch auf Medizin umsatteln?«

»Keine Chance. Ich liebe den Dreck von anderen Leuten!«

»Ja dann …«

Eine Weile arbeiteten sie stumm und mit angeekelten Gesichtern.

Nach zehn Minuten unterbrach Irina stöhnend. »Ich kann nicht mehr … Luft!«

»Gute Idee. Der Gestank ist bestialisch.«

Die beiden Ermittler verließen den Abstellraum und atmeten draußen tief ein und aus.

»Wo hättest du denn die Handschuhe verschwinden lassen?«, fragte Irina ihren Freund.

»Keine Ahnung. Vermutlich ins Wasser geworfen.«

»Bist du dir sicher, dass Handschuhe aus Synthetik-Velour untergehen? Ich glaube eher, die schwimmen. Da ist ein Mülleimer schon besser. Die werden jeden Tag geleert.«

»Stimmt. Und wenn die Säcke erst einmal auf der Deponie gelandet sind, findet sie kein Mensch mehr.«

»Eben, dann ist das Indiz für immer verloren. So schlau wird der Täter gewesen sein.«

»Wir aber auch, Irina.«

Seine Freundin warf Täubner einen resignierten Blick zu. Mit Todesverachtung gingen sie zurück in den Abstellraum und suchten weiter.

Es dauerte noch einmal dreizehn Minuten, ehe die beiden Ermittler endlich den richtigen Müllsack erwischten. Er stank nach Lösungsmittel und alten Farbresten. Zwischen einem Haufen völlig durchnässter Zeitungen und Geträn- keverpackungen lagen ein paar Radfahrerhandschuhe. Und rot waren sie auch.

53

In einer Behörde laufen zweifelsohne die unterschiedlichs- ten Menschentypen herum, was in der Natur der Sache liegt. Im Landeskriminalamt 1 in der Keithstraße war das nicht anders. Es gab dort dicke, dünne, große, kleine, interessante, langweilige, alte, junge, attraktive und weniger anziehende Polizeibeamte. Kriminaloberrat Heiner Materna war die Rolle des Behördenriesen zugefallen. Ein Meter achtundneunzig geballte Manneskraft, hundertvierzig Kilo Lebendgewicht, Hände wie Baggerschaufeln und ein dichter wirrer grauer Haarschopf, der an Albert Einstein erinnerte, ließen ihn überall automatisch im Mittelpunkt stehen. Aus Gründen, über die sich der Leiter des Dezernats 11 beharrlich aus- schwieg, war ihm einer der drei überaus begehrten ehemali- gen Repräsentationsräume zugeteilt worden.

Jutta Koschke war zum ersten Mal in dem Büro des Kriminaloberrats und sah sich um. Er hat mindestens viermal so viel Platz wie ich, dachte die Kriminalrätin empört und lächelte ihren Kollegen an. »Schön hast du es hier, Heiner.«

Kriminaloberrat Materna zog mit beiden Händen seine schwarz-weiß gestreiften Hosenträger ab und ließ sie auf seinen mächtigen Bauch klatschen. »Das kannst du laut sagen, Jutta. Du hättest mich schon längst mal besuchen sollen.«

»Du weißt doch ...«

»Natürlich. Ich bin ja selbst seit drei Jahren Witwer. Eine schwierige Zeit. Aber jetzt geht es dir besser?«

»Ja. Das Schlimmste habe ich wohl überstanden.«

»Das freut mich für dich«, sagte der sechsundfünfzigjährige Dezernatsleiter und meinte das wirklich ernst. Er mochte die Kriminalrätin, hatte sie schon immer gemocht. Fand sie ausgesprochen sexy. Der Grund dafür war vermutlich in seiner frühsten Jugend zu suchen. Jutta erinnerte ihn vom Aussehen und Auftreten her an seine Tante Hilde, die ihn als kleinen Knirps bei der Begrüßung immer an ihren mächtigen Busen gedrückt und die so herrlich nach Kölnisch Wasser gerochen hatte. Wonach Jutta wohl duftete? Vielleicht nach Veilchen?

»Hörst du mir überhaupt zu, Heiner?«

»Wie? Ja, natürlich.«

»Hältst du das für möglich?«

»Du meinst, ob ich dich auf dem Laufenden halten kann, was die Entführung betrifft?«

»Das war meine Frage.«

»Selbstverständlich, Jutta, du kannst ganz auf mich zählen.«

Und das war auch seine feste Absicht. Die Chance, der Kollegin Koschke näherzukommen, würde er nicht in den

Sand setzen. Er mochte ihre kräftige untersetzte Figur, die dunklen Haare mit den hellen Strähnchen und den damenhaften, etwas altmodischen Kleidungsstil. Für ihn war an Jutta Koschke einfach alles perfekt.

Auf seinem Monitor ploppte eine Mail auf. »Eine Sekunde bitte ...«

Der Kriminaloberrat trat an den Schreibtisch, rief die Nachricht auf und überflog sie. »Schau an: Man hat den Schultornister der Kleinen gefunden. Lag an einem Gleis unter der Putlitzbrücke.«

»Das ist doch schon mal ein Anfang.«

»Unbedingt. Du bringst uns Männern eben Glück, Jutta. Ermittler-Glück.«

Die Kriminalrätin sah ihren Kollegen irritiert an. Keine Ahnung, was Heiner Materna damit meinte. Aber wenn er das so sah und sie dadurch bei ihm das bekam, was sie wollte, sollte es ihr recht sein.

Sie drückte dem Riesen kräftig die Hand und verabschiedete sich.

Was für ein Weib, dachte der Kriminalrat und verfolgte ihren Abgang mit Bewunderung. Tja, die Liebe lehrt auch manchen alten Bullen noch das Tanzen, wie Tante Hilde immer zu sagen pflegte.

54

HamburgerScheidungsPapi

Wir brauchen endlich ein Männerhaus in Hamburg! Viele von uns leiden total unter diesen Kindsmütter-Monstern! Hexen sind das! Allesamt Hexen! Ich kenne genug Horrorstorys von denen!

Kai Holm saß an seinem Schreibtisch und tippte angespannt in die Tastatur. Gemäß seinem Vertrag musste er pro Tag zweihundertsechzehn Blogeinträge produzieren. In diversen sozialen Netzwerken, unter unterschiedlichen Pseudonymen, mit wechselnden Accounts. An guten Tagen schaffte er das in sieben Stunden, an weniger guten brauchte er dafür zwölf oder gar dreizehn. Und die Konkurrenz hing ihm immer im Nacken. Eine Menge professioneller Schreiberlinge wartete nur auf eine so lukrative Einnahmequelle.

Als Autor der Stunde null war Kai bei seinem Auftraggeber privilegiert. Er musste nicht in der Troll-Fabrik in Treptow arbeiten, sondern durfte zu Hause schreiben. Heute hatte er allerdings noch kaum einen Euro verdient, hing mit der Arbeit völlig hinterher. Das bedeutete mal wieder Nachtschicht. Scheiße. Das Frühstück hatte einfach zu lange gedauert. Über zwei Stunden. Der Grund war die Kleine. Sie hatte in der ganzen Zeit kein einziges Wort gesagt. Nicht mal was auf Afrikanisch. Komisch. Als wenn sie stumm wäre. Kai hatte sie immer wieder angesprochen – keine Reaktion.

> HamburgerScheidungsPapi
> Wenn dir die Kindsmutter dein eigenes Kind verweigert, kannst du gar nichts machen! Die trickst dich aus, bis du durchdrehst! Kindeswohlgefährdung, sagt dir das was? Kriminelle Schlampen allesamt!

Nadine hatte ihm irgendwann zu verstehen gegeben, das Mädchen doch bitte in Ruhe zu lassen. Sie hätte dieses gewisse Trauma. Darunter würden viele der Flüchtlingskinder leiden.

Trotzdem war es merkwürdig. Er war nämlich besonders freundlich zu dem Kind gewesen, hatte ihr immer wieder zugelächelt. Aber wie gesagt – null Reaktion. Die Kleine hatte nur verängstigt zurückgeguckt. Als er sich mit dem Kochmesser etwas von der französischen Ringsalami abschneiden wollte, war sie total zusammengeschreckt, als wollte er sie jeden Moment abstechen. Ein komisches Trauma musste das sein.

HamburgerScheidungsPapi
Die einzige Verbindung, die diese Monster akzeptieren, ist die Bankverbindung! Du sollst Unterhalt zahlen und darfst ansonsten deine Schnauze halten! Alles ganz, ganz miese Erpresserinnen!

Kai schaute auf den anderen Monitor und checkte, was sich dort in der Kommentarschiene tat. Er zog die zweite Tastatur heran und wechselte das Sujet.

Brummi-Lover
Das ist doch lediglich ein Feldversuch. Es ist ja noch gar nicht raus, ob diese Lang-Lkws überhaupt zugelassen werden. Aber erst mal groß rummeckern. Fortschrittfeindliche Steinzeit-Heinis!

Kai dachte daran, dass ihm vorhin das Toilettenpapier ausgegangen war. Zwei Scheißer mehr. Merkt man doch gleich, haha.

Brummi-Lover
Was diese Lang-Lkws an CO_2 und Sprit sparen ist enorm! Außerdem werden wir noch ein Dritte-Welt-Land, wenn wir hier alles verhindern. Flughäfen kriegen wir ja auch schon nicht mehr gebacken.

Eigentlich müsste er zum Drogeriemarkt gehen, aber dann würde er noch mehr Zeit verlieren.

»Nadine, kannst du mal kurz kommen?«, rief Kai in Richtung Flur und hackte weiter in seine Tastatur.

Brummi-Lover

Zwei Gigaliner ersetzen drei normale Brummis! Die haben fünfzig Prozent mehr Frachtvolumen! Das sind echte Öko-Laster, aber das schnallen diese grünen Krötentunnelbauer ja nicht!

Nadine erschien in der Tür, sie hielt das kleine Mädchen an der Schulter fest.

»Was gibt's, Kai?«

»Könntest du schnell mal was einkaufen gehen? Toilettenpapier und Haushaltsrollen?«

»Schwierig.«

»Wieso?«

Nadine blickte zu Efua Marie, verzog bedauernd das Gesicht. »Könntest du das nicht machen?«

»Ich kann auch nicht weg. Hab noch einen Riesenstiefel abzuarbeiten.«

Kai hackte auf die Tasten. Plötzlich hielt er inne, warf Nadine einen argwöhnischen Blick zu. »Oder ... oder denkst du etwa, ich könnte der Kleinen was antun?«

»Nein, natürlich nicht. Aber sie hat doch so Angst. Ihr Trauma.«

»Na gut. Okay, dann schicke ich Kerstin eine SMS. Soll sie das machen.«

»Danke.«

»Ja, ja.«

Nadine verschwand mit der Kleinen im Flur.

Kai Holm seufzte, blickte auf beide Monitore und wechselte dann zu der ersten Kommentarschiene.

Sowie die Nabelschnur durchtrennt ist, ist ein Kind unabhängig!
Dann braucht es unbedingt seinen Papi! Nur mit der Mutter als
einziger Bezugsperson, da kriegt es doch ein dickes, fettes Trauma!

Kai nickte befriedigt: Das waren jetzt echt wahre Worte, die
er da geschrieben hatte.

55

Nettelbeck hatte sich dazu gezwungen, die komplette Ermittlungsakte noch einmal gründlich durchzusehen. Er wollte auf keinen Fall riskieren, dass Roger ihm irgendwelche
Fehler nachweisen konnte. Denn dass seinem Expartner die
drei Kriminaldirektoren nicht unwichtig waren, hatte er ihm
ja deutlich zu verstehen gegeben. Auch wenn Nettelbeck
gegenüber Jutta Koschke etwas anderes behauptet hatte.

In den vergangenen Stunden hatte sich der Kommissar
mehrmals bei Philomena gemeldet, doch bislang war noch
kein weiterer Anruf der Erpresserin eingegangen.

Das Dezernat 11 hatte ein Verhandlungsteam in ihre
Wohnung geschickt, das mit Abstand als die erfahrensten
Experten für Kindesentführungen galt. Und mehrere Techniker, die versuchen würden, den Standort der Entführerin
bei ihrem nächsten Anruf gegebenenfalls zu triangulieren.
Was allerdings voraussetzte, dass diese ein Mobiltelefon
benutzte.

Das Verhandlungsteam war nicht nur psychologisch für
Gespräche mit den Tätern geschult worden, sondern auch
darin, die Angehörigen seelisch stabilisieren zu können.
Offenbar hatte dies bei Philomena bereits angeschlagen,

denn bei dem letzten Telefonat machte sie auf Nettelbeck einen deutlich gefestigteren Eindruck.

Ihm wollte einfach nicht einfallen, woher er die Stimme der Erpresserin kannte. Inzwischen war er fest überzeugt, dass er ihr schon einmal begegnet war. Nur wann und wo? Ihm war auch nicht klar, ob es die heisere Frauenstimme oder eines der Worte aus dem Telefonat mit ihr war, das bei ihm die Erinnerung geweckt hatte. Seufzend nahm er sich noch einmal den KTU-Bericht über das Partikel auf der sichergestellten Tatwaffe vor. Da klingelte sein Telefon.

»Kommissar Nettelbeck? Hier ist Brigitte Reifenberg.«

»Hallo ...«

»Wir müssen reden.«

»Bitte ... Um was geht es?«

»Nicht am Telefon. Es ist zu kompliziert. Könnten Sie zu mir kommen? Am besten sofort? Es ist wirklich äußerst wichtig, was ich Ihnen zu sagen habe.«

»Gut, ich bin in einer halben Stunde bei Ihnen.«

»Danke. Bis gleich.«

56

Zugegeben: Wilbert Täubner hatte seine Freundin gewarnt. Nachdem sie auf dem Campingplatz am Krossinsee Bekanntschaft mit der Dreckseite der Polizeiarbeit gemacht hatte, würde sie jetzt das polizeiliche Inferno kennenlernen. Irina hatte schon die unglaublichsten Dinge über den Arbeitsraum des Kriminaltechnikers gehört, aber heute betrat sie zum ersten Mal persönlich Achim Lebecks Reich.

Und fand die Beschreibung ihres Freundes maßlos übertrieben. Gut, der Raum war mit den unmöglichsten Dingen vollgestellt und sie sah eine Vielzahl von Geräten, deren Funktion ihr unklar war. Aber es herrschte eher ein kreatives Chaos, ein Durcheinander, wie man es bei einem schöpferischen Geist öfter antraf. Wilbert hatte bedauerlicherweise einen Hang zur Pedanterie und Irina nahm sich vor, ihn in den nächsten Wochen diesbezüglich etwas lockerer zu machen.

Lebeck zeigte am Computer auf das vergrößerte Bild eines der Radfahrerhandschuhe.

»Es ist der rechte«, er zoomte auf die Innenseite des Zeigefingers, an der eine winzige Abschürfung zu erkennen war. »Siehst du es?«

»Ja. Da muss das Partikel gesessen haben.«

»Genau. Hier …« Der Kriminaltechniker zog mit der Maus eine Aufnahme des Partikels heran, schob das freigestellte Bild auf die Abschürfung und ließ es los. Nahtlos fügte sich das Partikel in den Handschuh ein.

»Das Kunstledermaterial ist absolut identisch. Der Täter hat mit diesem sichergestellten Handschuh den tödlichen Schuss abgegeben. Das steht felsenfest.«

»Wie sieht es mit Fingerabdrücken und DNS aus?«

»Nichts. Ist alles mit irgendwelchen Lösungsmitteln abgewaschen worden. Wilbert sagte mir, in dem Müllsack waren auch Farbreste und so Zeug.«

»Ja. Es hat fürchterlich gestunken.«

»Kann ich mir vorstellen. Das Lösungsmittel ist auf Aceton-Basis hergestellt. Ich habe alles versucht, aber es hat nichts gebracht. Keinerlei Fingerabdrücke. Nicht das kleinste Fragment einer winzigen Papillarleiste war zu sehen.«

»Das heißt, du kannst die Radfahrerhandschuhe niemandem eindeutig zuordnen?«

»Leider nicht.«

Irina nickte. Ihr erster Besuch in Achim Lebecks Reich endete erheblich frustrierender, als sie erwartet hatte. Keinerlei Fingerabdrücke, keine DNS. Nicht einmal ein bisschen Lebecksches Polizei-Inferno. Ein kompletter Reinfall.

57

Als Nettelbeck am Haus der Reifenbergs klingelte, öffnete niemand. Er wartete ein paar Minuten, in denen er es wiederholt mit klingeln versuchte. Doch nichts passierte. Der Kommissar rief Brigitte Reifenbergs Telefonnummer an, aber lediglich die Mailbox sprang an.

Er ging um das Haus herum zur Terrasse. Die Tür zum Wohnzimmer stand offen. Brigitte Reifenberg lag auf einer Gartenliege und schlief. Auf ihrem Schoß ein Tablet, das sie mit einer Hand umklammert hielt. Ein leeres Glas und eine Karaffe, die noch zu einem Viertel mit Saft oder einer ähnlichen Flüssigkeit gefüllt war, standen auf einem Tischchen.

Der Kommissar sprach Brigitte Reifenberg an, doch sie reagierte nicht. Er trat näher. Die Frau wirkte starr und blass. Leblos. Er griff nach der freien Hand und versuchte, den Puls zu ertasten. Doch er spürte keinen.

Nettelbeck nahm sein Smartphone und alarmierte den Notarzt. Er legte das Tablet beiseite, zog Brigitte Reifenberg von der Liege und versuchte, sie zu reanimieren. Wie er es gelernt hatte, machte Nettelbeck dreißig Herzdruckmassagen und anschließend zweimal Mund-zu-Mund-Beatmung. Dann fing er wieder von vorn an. Und das immer und immer wieder. Er blieb konzentriert und gewissenhaft, doch er bemerkte kein Anzeichen für eine Wiederbelebung. Nach endlos langen Minuten, die dem Kommissar wie Stunden erschienen, kam schließlich das Rettungsteam in den Garten gelaufen. Sie schoben Nettelbeck beiseite und setzten den Defibrillator in Gang.

Nettelbeck nahm das Tablet und ging ins Haus. Er drückte auf die Ein/Aus-Taste und das Gerät wurde entsperrt. Als er über den Touchscreen wischte, schaltete sich der Ruhemodus aus und er sah, dass Brigitte Reifenberg gerade dabei gewesen war, eine Mail zu schreiben. Die Nachricht war an ihn persönlich adressiert, an den Ersten Kriminalhauptkommissar Martin Nettelbeck.

In der Mail bezichtigte Brigitte Reifenberg ihren Mann, dass er sie aus Eifersucht töten wolle. Steffen Reifenberg habe vor Kurzem herausgefunden, dass sie eine Affäre mit René Walcha hatte und ihn deshalb verlassen wollte. Aus diesem Grund erschoss er ihren Liebhaber am Krossinsee. Am gestrigen Abend sei ihr Mann betrunken gewesen und habe sich verplappert, seine Tat im Rausch zugegeben. Nun befürchtete sie, dass Steffen Reifenberg sie mit ihrem eigenen Herzmedikament vergiften wolle, denn …

An dieser Stelle brach die Mail ab.

Nettelbeck nahm sein Smartphone und rief Täubner an. Er informierte ihn über die aktuellen Ereignisse und bat, alles Erforderliche für eine sofortige Hausdurchsuchung bei den Reifenbergs in die Wege zu leiten. Anschließend versuchte er, Philomena zu erreichen, doch dort war besetzt.

Nettelbeck nahm das Tablet und ging zurück auf die Terrasse. Auch der Notarzt hatte die Wiederbelebungsmaßnahmen eingestellt. Brigitte Reifenberg war tot. Genauso tot wie ihr Liebhaber René Walcha.

58

Die Pause näherte sich ihrem Ende und die Tagungsteilnehmer gingen langsam in den Saal zurück. Steffen Reifenberg
stand am Rednerpult, da er das nächste Referat halten sollte.
Lutz Büchler und Max Hartl saßen bereits auf ihren üblichen Plätzen in der hintersten Reihe.

Roger Delbrück betrat den Tagungsraum. Er schaute sich
kurz um und nahm dann neben den beiden Kriminaldirektoren Platz.

Delbrück nickte Büchler und Hartl augenzwinkernd zu.
»Jetzt kommt Steffens große Stunde ...«

»Darauf freue ich mich schon mein halbes Leben!«, feixte
Büchler.

»Und ich erst«, ergänzte Hartl. »Wird bestimmt die Kri-
minalwissenschaft revolutionieren!«

»Und sonst? Alles okay bei euch?«

»Na ja, nicht ganz. Du könntest uns eventuell einen kleinen Gefallen tun, Roger«, sagte Büchler.

»Alles, was in meiner Macht steht ...«

»Meinst du, wir könnten mal einen schnellen Blick in die
Ermittlungsakte werfen?«

Delbrück zögerte mit der Antwort, dann nickte er: »Klar,
kommt morgen Mittag in mein Büro. Dann ist es ruhig und
ihr könntet sie an meinem Computer durchsehen.«

»Danke, Roger«, Büchler gab dem Kriminaldirektor einen
leichten Klaps auf die Schulter. »Hast was gut bei uns.«

»Ich werde euch dran erinnern!«

»Nichts anderes haben wir von dir erwartet«, Hartl lächelte angespannt zurück.

Steffen Reifenberg klopfte mit den Fingerspitzen auf sein Mikrofon. »Wenn ich um etwas Ruhe bitten darf«, er lächelte in den Saal. »Ich denke, dass inzwischen alle ihre Plätze eingenommen haben. Sehr schön. Meine Damen und Herren. Ich begrüße Sie zu dem ersten Referat am heutigen Nachmittag. Das Thema meines Vortrags lautet: *Die Privatisierung der europäischen Polizei – Zukunftsmodell oder Irrweg?*«

Heftiger Beifall.

59

Der Kommissar glaubte, dass er es lediglich seiner langjährigen Freundschaft mit Dr. Katharina Sprengel zu verdanken hatte, dass Brigitte Reifenbergs Leichnam umgehend in den Sektionssaal gebracht worden war. Ebenso wichtige Untersuchungen hatte die Gerichtsmedizinerin nämlich sofort zurückgestellt. Dem Kommissar kam nicht einmal der Gedanke, dass der Flurfunk die Nachricht von Efua Maries Entführung auch in das gerichtsmedizinische Institut getragen haben konnte.

Jetzt stand Nettelbeck neben dem Seziertisch und sah zu, wie Sprengels Assistent den Brustraum von Brigitte Reifenberg wieder zunähte. Der aggressive Geruch nach Formaldehyd, der in der Luft hing, zog beißend in seine Lunge. Hier hätte ich die Sommergrippe auch gut auskurieren können, dachte der Kommissar gequält.

Die Gerichtsmedizinerin kehrte mit einem verschlossenen Glasbehälter, der mit den Daten der Toten beschriftet war, in den Sektionssaal zurück. Darin enthalten war die kleine Menge einer dicklichen bräunlich gefärbten Flüssigkeit – der Mageninhalt der Toten.

»Du hattest recht«, sagte Sprengel. »Sie ist mit einer extremen Überdosis des Steroids Digitoxin vergiftet worden. In der restlichen Flüssigkeit haben wir es ebenfalls nachgewiesen.«

»Das Gift wird aus dem roten Fingerhut gewonnen, oder?«

»Ja, aus der Digitalis purpurea. Eine Überdosierung führt unweigerlich zum Tod. Aber du hast uns ja gleich auf den richtigen Weg gesetzt.«

»Du meinst, mit ihrer Herzerkrankung?«

»Genau. Wir untersuchen immer nach dem Ausschlussprinzip«, erklärte Sprengel. »Wenn wir im Blindflug vorgingen, würde die Analyse bei einigen hundert Giften ewig lang dauern.«

»Wie ist Frau Reifenberg denn an die Substanz gekommen?«

»Wenn sie stark herzkrank gewesen ist, dann war sie in ihrer Medizin enthalten. Wahrscheinlich hat es ausgereicht, dass sie ein neues Fläschchen auf einmal ausgetrunken hat.«

»Es war also nicht nötig, das Zeug in dem Saft aufzulösen?«

»Nein, das Herzmittel ist bereits aromatisiert, um die Einnahme zu erleichtern.«

»Verstehe. Hast du sonst noch etwas Interessantes für uns?«

»Im Moment nicht. Meinen Obduktionsbericht bekommst du morgen früh. Das reicht hoffentlich.«

»Ja, danke … Also, ich muss …«

»Wir telefonieren«, lächelte Katharina Sprengel. »Und grüße deine Familie.«

»Du auch«, erwiderte der Kommissar.

Er nickte dem Assistenten zu und verließ den Sektionssaal. Ihm entging der mitleidige Blick, mit dem Katharina Sprengel ihm hinterher sah.

Während Nettelbeck zu seinem Wagen ging, rief er erneut

Philomena an. Endlich ging sie an ihr Smartphone, doch die Lage war unverändert. Die Entführerin hatte sich nicht wieder gemeldet. Den ganzen Tag nicht. Der Kommissar tröstete seine Freundin und beendete dann das Gespräch. Ihm war hundeelend zumute. Doch das Gefühl konnte er sich jetzt nicht erlauben. Er startete den BMW und fuhr Richtung Tempelhof.

60

Irina saß in der Eingangshalle des Landeskriminalamts am Tempelhofer Damm und schaute nach draußen, fragte sich, wann ihr Chef endlich kommen würde. Sie war sofort losgefahren, nachdem Nettelbeck sie angerufen hatte, doch inzwischen wartete sie bereits eine Dreiviertelstunde auf ihn. Allmählich sollte er wirklich kommen, sonst …

Etwas abgehetzt betrat Martin Nettelbeck das Gebäude. »Läuft die Tagung noch?«, fragte er die Ermittlerin.

»Ja, müsste aber jeden Moment zu Ende sein.«

»Und er ist noch oben?«

»Ich habe mich selbst davon überzeugt.«

»Gut, dann los.«

Der Kriminalkommissar und seine Mitarbeiterin betraten den Aufzug und fuhren in die oberste Etage.

Sie hatten gerade den Pausenbereich erreicht, in dem zwei Frauen schmutzige Tassen und Gläser wegräumten, als die Türen zum Hauptsaal aufgestoßen wurden.

Als einer der Ersten kam Steffen Reifenberg aus dem Saal, im Gespräch vertieft mit einer jungen Kriminologin.

»Sie wissen sicher, was ich damit meine, Professor Reifenberg.«

»Natürlich. Vereinbaren Sie einfach einen Termin mit meiner Sekretärin, oder …«, der Leitende Kriminaldirektor reichte der jungen Frau seine Visitenkarte, »… oder rufen Sie mich persönlich an.«

»Oh, darauf komme ich gern zurück.«

Der Kriminaldirektor bemerkte, dass Nettelbeck auf ihn zukam, und er nickte seiner Gesprächspartnerin zu. »Sie entschuldigen mich bitte …«

Reifenberg wandte sich von ihr ab und schaute den Kommissar fragend an. »Gibt es irgendwas, Kommissar Nettelbeck?«

»Herr Reifenberg, Sie sind vorläufig festgenommen«, sagte Nettelbeck leise. »Wegen des dringenden Tatverdachts, Ihre Frau getötet zu haben.«

»Wie bitte?«

Der Kriminaldirektor schien sichtlich verwirrt. »Ich verstehe nicht. Was ist …?«

»Kommen Sie bitte«, unterbrach ihn Nettelbeck. Er nahm Steffen Reifenberg am Arm und zog ihn in Richtung der Fahrstühle.

In diesem Moment verließen Lutz Büchler und Max Hartl den Saal und verstanden sofort, dass irgendetwas nicht stimmte. Sie wollten ihrem Freund folgen, doch Irina hielt sie zurück.

»Bitte bleiben Sie hier.«

»Wieso? Was soll das?«

»Das kann ich Ihnen im Moment nicht sagen.«

Irina ließ die beiden Männer stehen und folgte Nettelbeck und Reifenberg.

Büchler und Hartl tauschten einen Blick aus.

»Dreht dieser Nettelbeck jetzt völlig durch?«, sagte Büchler. »Was geht hier ab? Was soll diese Scheißnummer?«

»Wir sollten mit Roger sprechen«, sagte Hartl. »Vielleicht weiß er mehr.«

»Gut, suchen wir ihn mal.«

Die beiden Kriminaldirektoren bahnten sich einen Weg durch die Anwesenden, ließen die Blicke über die Tagungsteilnehmer gleiten. Schließlich entdeckten sie Delbrück im Gespräch mit einem Kollegen. Mit versteinerten Mienen steuerten Büchler und Hartl auf ihn zu.

61

Die Vorhänge im Gästezimmer waren zugezogen, aber durch den dünnen Polyesterstoff konnte man sehen, dass es draußen noch taghell war. Efua Marie lag im Bett und wirkte verunsichert. Nadine Lemmnitz lehnte an der Tür, schaute das Mädchen grimmig an.

»Es ist doch noch gar nicht Abend«, sagte Efua Marie.

»Egal, du schläfst jetzt.«

»Ich will aber noch spielen.«

Nadine zog das Survivalmesser unter ihrem T-Shirt hervor. Sie ließ es mehrmals von einer Hand in die andere gleiten und grinste dabei diabolisch.

»Was willst du denn spielen? ... Fingerchen abhacken vielleicht?«

»Nein.«

»Okay, wenn du darauf keinen Bock hast, dann schlaf.«

»Oder du liest mir was vor.«

»Ich habe keine Zeit für so 'nen Scheiß.«

Nadine steckte das Messer in die Scheide zurück.

»Du tust doch gar nichts.«

»Das geht dich einen Dreck an.«

»Und wie soll ich dann einschlafen?«

»Das geht mich einen Dreck an.«

»Du bist blöd.«

»Ach ja? Wie kommst du denn darauf?«

»Warum hast du mich denn sonst gestohlen?«

»Ich habe dich nicht gestohlen, ich habe dich entführt! Wer von uns ist jetzt blöd, häh?«

»Und warum hast du mich entführt?«

»Wegen Lösegeld.«

»Was ist Lösegeld?«

»Das müssen mir deine Eltern geben, damit sie dich zurückkriegen.«

»Und wann ist das?«

»Das sag ich dir morgen. Und jetzt schlaf.«

»Aber ich kann noch nicht …«

»Schlaf! Sonst …«

Nadine klopfte auf die Messerscheide und verließ den Raum. Sie schloss von außen ab und steckte den Schlüssel in ihre Hosentasche. Dann verschwand sie in der Toilette.

Es wurde allmählich Zeit, bei dem Bullen anzurufen und ihm mitzuteilen, wie die Übergabe des Lösegelds ablaufen sollte.

62

Kerstin Reinke räumte benutztes Geschirr in die Spülmaschine. Kai Holm saß noch am Küchentisch und surfte auf einem Tablet.

»Hast du heute ordentlich was geschafft?«

»Nein, ich hänge ziemlich. Werde wohl eine Nachtschicht einlegen.«

»Dann kann ich ja mal in Ruhe mit Nadimaus quatschen. Habt ihr euch gut verstanden, während ich weg war?«

»Ging so. Ich wollte mit ihr über diese Ini reden. Sehr gesprächig war sie nicht gerade …«

»Wie … nicht gesprächig?«

»Na ja, hat auf geheimnisvoll gemacht. Als dürfte niemand wissen, wo die Ini ihr Büro hat. Als würde ich die Asylbewerber in die Pfanne hauen. Wer hat denn die beiden in seiner Wohnung aufgenommen?«

»Sei nicht sauer, Liebling. Nadi meint es nicht so. Ist alles noch neu für sie. Nach sieben Jahren Knast.«

Kerstin gab Kai einen Kuss.

»Wahrscheinlich hast du recht, Blondie. Mich interessiert die Ini eben. Ich könnte mir richtig gut vorstellen, da mitzumachen.«

»Mir wird sie schon mehr erzählen. Ich frage sie nachher mal.«

Kai nickte und surfte weiter. »Hey, am Samstag ist wieder 'ne Depeche-Mode-Party.«

»In welchem Laden?«

»Kein Laden. Eine Schiffstour durch die Innenstadt, bei der ein DJ die besten DP-Songs auflegt. Dauert vier Stunden, wenn wir Jannowitzbrücke einsteigen. Klingt das geil?«

»Super klingt das!«

»Gehen wir also hin? Dann bestelle ich gleich zwei Tickets.«

»Und Nadi und die Kleine? Was ist, wenn die bis dahin noch hier sind?«

»Die kommen schon alleine klar. Soll ich uns auch das Menü *30 Jahre Depeche Mode* buchen?«

»Wenn es nicht vegan ist …«

»Blondie, für wen hältst du mich?!« Kai zog Kerstin an

sich. »Ich weiß doch, dass du die fleischlichen Genüsse be-
vorzugst. Genau wie ich!«

Sie küssten sich stürmisch und Kais Hand wanderte unter
ihren Minirock. Kerstin fuhr mit gespieltem Entsetzen zurück. »Finger weg! Du brauchst deine Kräfte für die Nachtschicht.«

»Das fürchte ich auch«, sagte Kai und grinste matt.

63

Nettelbeck und Irina hatten Steffen Reifenberg in der Keithstraße abwechselnd befragt. Aber das Verhör drehte sich
schon bald im Kreis. Reifenberg bestand darauf, dass er seine
Frau Brigitte nicht ermordet habe. Er sei weder eifersüchtig
auf ihre Affäre mit René Walcha gewesen noch hätte er
durch ihren Tod irgendwelche finanziellen Vorteile. Zwi-
schendurch wurde Nettelbeck aus dem Vernehmungszimmer gerufen und Irina übernahm.

Wilbert Täubner war von der Hausdurchsuchung bei den
Reifenbergs zurückgekehrt. Allzu viel hatten er und die
Kollegen nicht sichergestellt. Ein paar USB-Sticks aus dem
Nachttischchen der Toten, deren Inhalt noch überprüft
werden musste, und eine leere Medikamentenverpackung
mit Beipackzettel. Ein Herzmedikament namens Digitalista.
Täubner hatte es in Reifenbergs Büro im Papierkorb gefunden. Nettelbeck bat ihn herauszufinden, wann, wo und von
wem das Medikament gekauft worden war. Dann ging er
zurück in den Verhörraum.

Er übernahm erneut die Befragung und bemühte sich, das
Gespräch wieder in Gang zu bringen. Doch nach vier Stunden waren alle ausgelaugt. Nettelbeck brach ab. Man werde

es morgen fortsetzen. Er wollte so schnell wie möglich nach Hause. Philomena hatte ihm auf die Mailbox gesprochen, dass die Entführerin sich bei ihr gemeldet habe.

64

Es hatte keine zehn Minuten gedauert, bis Roger Delbrück herausgefunden hatte, dass Steffen Reifenberg wegen Mordverdacht verhaftet worden war. Für Büchler und Hartl war das ein Schock. Die beiden Freunde hatten die Tagung vorzeitig verlassen, waren zu Fuß zu ihrem Hotel gegangen, hatten geredet, geredet und geredet. Sie waren aber keinen Schritt weitergekommen, hatten sich nur im Kreis gedreht. Die Angelegenheit wurde immer verwirrender. Dieser Nettelbeck hatte die Suizidtheorie offenbar endgültig fallen gelassen und ging nun im Fall Walcha von Mord aus. Wieso auch immer. Jetzt war er irgendwie auf die Wahnsinnsidee gekommen, Brigittes Tod ihrem Freund Steffen anzulasten. Lächerlich, der Kommissar war offensichtlich völlig überfordert. Egal, wie sehr Roger Delbrück seinen Expartner gelobt hatte, sie wussten, dass Nettelbeck auf dem Holzweg war. Sie kannten Steffen besser. Ihr Freund liebte seine Frau, war ständig in Sorge gewesen wegen ihrer schweren Herzkrankheit. Ein Mord machte weniger als gar keinen Sinn.

Später hatte Hartl lange mit seiner Frau in Passau telefoniert. Simone kannte Brigitte, hatte sie alle ein, zwei Jahre getroffen. Wenn die Reifenbergs in Süddeutschland gewesen waren oder Simone und er in der Hauptstadt. Das Gespräch mit seiner Frau tat ihm gut. Es war richtig gewesen, dass sie wieder zueinandergefunden hatten. Und dadurch war er auch in seinem Glauben erstarkt.

Es klopfte und Hartl öffnete.

Im Hotelflur stand Büchler mit einer Flasche Wein.

»Komm rein.«

Sein Freund stellte sein Mitbringsel ab. Es war ein Margaux, ein 2009 Château du Grand Soussans.

»Kein Châteauneuf-du-Pape. Den werde ich nie wieder trinken.«

»Ich auch nicht.«

Hartl nahm einen Korkenzieher aus der Minibar und öffnete die Flasche. Er goss zwei Gläser voll und reichte Büchler eins.

»Auf Brigitte.«

»Und auf René.«

»Ja. Auf René und auf Brigitte.«

Die Männer stießen an und tranken einen Schluck. Hartl setzte sich auf das Bett, Büchler in den einzigen Polstersessel.

»Ich habe vorhin noch mal mit Roger telefoniert«, sagte Büchler. »Bei Brigitte wurde ein Brief gefunden. Sie hatte Angst, dass Steffen sie wegen ihrer Beziehung zu René töten wollte.«

»Du meine Güte …« Hartl stellte sein Glas ab. »Selbst wenn das mit der Affäre stimmte … Steffen würde wegen so etwas doch keinen Mord begehen.«

»Ausgeschlossen. Wahrscheinlich wird ihm dieser Nettelbeck auch noch die Tötung von René unterzuschieben versuchen. Was für ein Schwachkopf!«

»Lutz, ich habe das Gefühl, dass es nicht nur eine banale Dreiecksgeschichte ist. À la Geliebte, Liebhaber, gehörnter Ehemann. Da geht es um was anderes.«

»Das denke ich auch. Aber was kann dahinterstecken, wenn es keine Ménage-à-trois ist?«

»Ich frage mich, ob wir es nur mit einem Täter zu tun haben ...«

»Du meinst, dass zwei ...«

»Oder noch mehr ... Und ob Renés und Brigittes Tod vielleicht zusammenhängen ...«

»Ganz genau«, nickte Büchler. Dann nahm er die Weinflasche und goss nach.

»Meinst du, dass wir den oder die Täter kennen ...?«, fragte Hartl.

»Vermutlich nicht.«

»Wieso nicht? Steffen und René haben uns doch immer alles erzählt, wenn wir uns trafen. Das Wichtigste jedenfalls.« Hartl sah nachdenklich in sein Weinglas, als könnte er dort eine Erklärung finden. »Logischerweise hat Nettelbeck Informationen zur Verfügung, die uns fehlen.«

Büchler nickte. »Möglicherweise könnten wir Zusammenhänge herstellen, die ihm versperrt sind. Wenn wir morgen die Akte durchsehen ...«

»... dann wissen wir möglicherweise mehr«, erwiderte Hartl und seufzte.

»Das hoffe ich«, sagte Büchler und trank aus.

65

Als Nettelbeck nach Hause kam, hörte er sich gemeinsam mit Philomena die Aufnahme an, die die Techniker von ihrem Telefonat mit der Entführerin mitgeschnitten hatten. Für den nächsten Abend hatte die unbekannte Frau eine Übergabe Geld gegen Geisel in Aussicht gestellt. Nettelbeck vermutete, dass sie sich wahrscheinlich größere Chancen ausrechnete, im Dunkeln mit dem Lösegeld entkommen zu können. Für den Kommissar war der Zeitpunkt ebenfalls optimal. Das gab ihm eine Möglichkeit, bei der Übergabe im Hintergrund mitzuwirken.

Die Technikspezialisten vom Dezernat 11 hatten versucht, die Anruferin mittels eines Repeater-Triangulationsalgorithmus zu orten, aber das hatte sich als unmöglich erwiesen. Vermutlich hielt sie sich in einem Gebäude auf, in dem viele Mietparteien wohnten, oder sie war ständig in Bewegung.

Nettelbeck und Philomena aßen mit Mark Kojo im Wohnzimmer zu Abend, da die Küche von dem Dezernatsteam in Beschlag genommen war. Die Kollegen würde um sieben Uhr früh von der Tagesschicht abgelöst werden. Nach dem Essen hatte der Kommissar Mark Kojo zu Bett gebracht und sich lange mit dem Jungen unterhalten. Ihm etwas vorzulesen oder das Posaunenspiel näherzubringen, dafür war jetzt nicht der richtige Zeitpunkt. Er hatte Mark Kojo erklärt, warum es ihm nicht möglich war, selbst nach seiner kleinen Schwester zu suchen. Dies richtig auszudrücken, fiel dem Kommissar schwer. Er brauchte endlos, um Worte zu finden, die den Sachverhalt richtig wiedergaben und die gleichzeitig deutlich machten, wie sehr er unter dieser Situation litt.

Später im Wohnzimmer besprachen Philomena und Nettelbeck das Finanzielle. Der Kommissar hatte tagsüber mit seiner Bank telefoniert und vereinbart, dass er am Freitagmorgen fünfzigtausend Euro abholen würde. Das gleiche Abkommen hatte Philomena mit ihrer Bank getroffen. Diese Seite war also geklärt. Seine Freundin war weiterhin in großer Sorge, auch wenn sie den ganzen Tag über von der Polizeipsychologin betreut worden war. Nettelbeck war ebenfalls beunruhigt. Sehr viel stärker noch als am Morgen. Doch die Gründe dafür behielt er für sich.

Nach Nettelbecks Einschätzung des jetzigen Ermittlungs-
standes hatten sie es mit einer stümperhaften Entführerin zu
tun. Davon zeugte der Schulranzen, den man gefunden hatte.
Er war entweder aus der S-Bahn oder vom Brückengeländer
aus ins Gleisbett geworfen worden. Was darauf schließen
ließ, dass die Täterin bei der Entführung nicht maskiert
gewesen war. Was wiederum bedeutete, dass die Erpressung
von ihr nicht bis zum Ende durchdacht worden war. Unter
Druck konnte die Frau deshalb auf die Wahnvorstellung
kommen, das Opfer und einzige Zeugin ihrer Tat zu beseitigen, da diese sie identifizieren konnte.

Als sie später im Bett lagen, drückte Philomena sich an
ihn und Nettelbeck hörte sie im Dunkeln leise wimmern. Er
hielt sie fest, stundenlang. Bis sie schließlich einschlief. Erst
dann schloss auch er seine Augen.

66

Direkt nach Schalteröffnung betrat Nettelbeck die Bank.
Der Bankangestellte, mit dem der Kriminalhauptkommissar
am Tag zuvor telefoniert hatte, bat ihn, in einem Besprechungszimmer Platz zu nehmen.

Während sich der Mann entfernte, dachte Nettelbeck daran, dass in Deutschland durchschnittlich jede Woche ein
Mensch entführt wurde. Dazu kamen pro Jahr noch fünf-
undzwanzig Entführungsversuche, die aber schon zu Beginn
scheiterten, da das Opfer sich wehrte oder entkommen
konnte. Die Polizei war angehalten, alle Entführungsfälle
möglichst diskret zu behandeln, um keine Nachahmungstäter
anzulocken. Immerhin war es das einzige Verbrechen, bei
dem man auf die Schnelle mal eine Million Euro gewinnen

konnte. Wenn man sich nicht besser mit hunderttausend Euro zufriedengab.

Der zweite Grund für die polizeiliche Diskretion bestand darin, den Druck auf den Täter möglichst gering zu halten, um das Entführungsopfer nicht unnötig zu gefährden. Einige Geiselnehmer neigten leider zu Kurzschlusshandlungen. Gab es überhaupt einen bestimmten Verbrechertypus, dem die Entführer entsprachen? Die Täter waren selten Anfänger und im Schnitt Mitte dreißig bis Ende fünfzig. Sie waren überwiegend männlich und hatten häufig eine kriminelle Vergangenheit. In der Regel handelte es sich um äußerst harte Typen. Das mussten sie auch sein, wenn sie ihr Opfer überfallen, verschleppen und tagelang gefangen halten wollten. Und dazu noch mit der Gegenseite verhandeln mussten. Zu viel Emotionalität war da nicht hilfreich.

Nettelbeck fragte sich, ob Efua Maries Entführerin allein agierte oder ob sie einen beziehungsweise mehrere Mittäter hatte. In der Regel wurde solch eine Tat von einer Einzelperson durchgeführt. Nur selten taten sich Kriminelle bei einer Entführung zu kleinen Gruppen zusammen. Das war ähnlich wie bei Posaunisten, schweiften seine Gedanken ab. Die traten auch nicht allzu häufig im Rudel auf, trotzdem schlossen sich manche Posaunisten hin und wieder zu Duos, Trios oder noch größeren Formationen zusammen.

In der Jazzszene berühmt war das Posaunenduo *Jay and Kai,* dann sorgte das *Trio Trombone by Three* mit Bennie Green für Furore wie später *The Brass Connection* mit Carl Fontana und drei weiteren Posaunisten. In Slide Hamptons *World of Trombones* waren insgesamt neun Posaunisten vertreten, darunter Curtis Fuller und Steve Turre. Aber Urbie Greens Projekt *21 Trombones* toppte sie alle. Einundzwanzig Posaunisten … Ob das jemals übertrumpft werden würde? Wohl kaum. Und einundzwanzig Entführer? Hatte es so etwas je gegeben? Zu keiner Zeit. Da war sich der Kommissar sicher.

Der Bankangestellte kam in das Besprechungszimmer zurück und stellte eine Plastikschale mit Geld vor Nettelbeck ab. Fünfzigtausend Euro, alles in kleinen gebrauchten Scheinen. Der Kommissar steckte die Bündel in einen wattierten Umschlag, bedankte sich und verließ die Bank.

67

Um halb sieben in der Früh saß Kai Holm bereits am Schreibtisch, um das restliche Pensum vom Vortag aufzuarbeiten. Eigentlich war das überhaupt nicht seine Zeit. Aber um kurz vor zehn hatte er es endlich geschafft – Pause! Er holte sich einen Joghurt aus der Küche und sah sich dann am PC das Social-Media-Programm für den heutigen Tag an. Eine Kampagne kontra elektrisches Rauchen pro herkömmlichen Tabakkonsum, die vermutlich von der Zigarettenlobby in Auftrag gegeben worden war, und eine zweite, die sich gegen die Zwangsmitgliedschaft in den Industrie- und Handelskammern richtete. Keine Ahnung, welche Typen für so was Geld lockermachten. Egal, auf beiden Gebieten war er taff, hatte schon öfter dafür beziehungsweise dagegen getrollt. Das bedeutete also leichtes Schreiben, da konnte er heute endlich mal wieder richtig was wegschruppen.

Kai schob die CD *This Year's Model* von Elvis Costello in den Player, wippte im Takt mit seinem Bürostuhl und löffelte genüsslich den Joghurt. Er dachte daran, wie er das Album das erste Mal gehört hatte. Das war der totale Hammer gewesen. Fast genauso gut wie Blondie. Ihm fiel ein, was seine Blondie letzte Nacht vor dem Einschlafen erzählt hatte. Den ganzen Abend hatte seine Süße mit Nadine im Wohnzimmer gesessen und über die gemeinsame Knastzeit gesprochen, darüber, wie es jetzt weitergehen würde. Ab und zu hatte Kerstin versucht, das Gespräch auf die Initiative zu lenken, aber auch sie hatte nicht viel aus Nadine herausbekommen. Angeblich saß die Ini in einem Büro im Steglitzer Kreisel. Kai fand das merkwürdig. Das riesengroße Bürohochhaus in Steglitz stand schon seit Jahren leer. Es war völlig asbestverseucht und total heruntergekommen. Ausgeschlossen, dass sich dort jemand einmietete. Auch keine Initiative für Flüchtlingshilfe. Aber warum behauptete Nadine dann solche Dinge?

Was hatte sie eigentlich über die Kleine erzählt? Dass sie aus Angola kommen würde und traumatisiert sei. Letzteres konnte Kai ja noch einigermaßen nachvollziehen. Obwohl … kein Grund, das Mädchen die ganze Zeit in der Wohnung einzuschließen.

Kai surfte im Internet, machte sich über die Berliner Flüchtlingsaktivitäten schlau. Es gab in der Stadt viele Initiativen, die sich für Flüchtlinge und fairere Bleiberechtsregelungen einsetzten, für die Beendigung der Abschiebehaft kämpften oder für die medizinische Versorgung von Menschen ohne Papiere sorgten. In jedem Stadtteil gab es mindestens eine Gruppe, in vielen sogar mehrere. Aber eine Ini, die ihren Sitz im Steglitzer Kreisel hatte, die gab es nicht. Nein, irgendwas an Nadines Story stimmte nicht. Kai war entschlossen, die Wahrheit herauszufinden. Und clever und smart, wie der beinharte Job ihn gemacht hatte, wusste er auch schon, wie er dabei vorgehen würde.

68

Nettelbeck hatte das Geld zu Hause abgegeben und war
dann in die Keithstraße gefahren. Zusammen mit Irina setzte er das Verhör mit Steffen Reifenberg fort. Aber auch
diesmal erfuhren sie nichts Neues. Sie hatten im Haus der
Reifenbergs kein Herzmedikament sicherstellen können, das
für eine Vergiftung infrage gekommen wäre. Merkwürdig,
eigentlich müsste eine Herzpatientin entsprechende Medi-
kamente doch in Reichweite haben. Obwohl Brigitte Reifenberg ihren Mann in der Mail eindeutig der Tat bezichtigt
hatte und dieser keine Argumente gegen seine Täterschaft
vorbringen konnte, war ihm nicht beizukommen. Reifenberg kannte jede Fragetechnik, jeder Verhörtrick war ihm
vertraut. Im Gegensatz zum vergangenen Tag, als er durch
die Todesnachricht stark angeschlagen schien, empfand er
das Verhör heute offensichtlich als Zumutung. Mit jeder
Minute, die verstrich, wurde Reifenberg schroffer, bis hin
zur offenen Provokation. Wie konnten Nettelbeck und
Eisenstein bloß so begriffsstutzig sein und ihn einer Tat
bezichtigen, die er nie begangen hatte?

Nach zwei Stunden brach Nettelbeck das Verhör frustriert ab. Er kam sich wie ein stümperhafter Anfänger vor
und ließ Reifenberg zum Gewahrsam in den Abschnitt 41
bringen. Er würde es später noch einmal versuchen. Vielleicht. Oder besser: wahrscheinlich. Bis zum Abend konnte
Nettelbeck den Kriminaldirektor im LKA noch festhalten.
Spätestens dann musste er ihn dem Haftrichter vorführen.
Das lief vermutlich auf eine Entlassung hinaus. Der Kommissar hatte inzwischen immer stärker das Gefühl, dass

irgendetwas nicht stimmte. Brigitte Reifenbergs Beschuldigung wirkte auf ihn zunehmend wie geplant, als hätte sie alles konstruiert.

War es denkbar, dass es kein Mord war, war es möglich, dass Brigitte Reifenberg Suizid begangen hatte? Und diese Tat als Mordanschlag kaschiert hatte, um ihren Ehemann vorsätzlich zu belasten? Aber welchen Grund sollte Brigitte Reifenberg gehabt haben, ihren eigenen Mann als Mörder hinzustellen, wollte Irina wissen, nachdem Nettelbeck seine Überlegungen laut vorgetragen hatte.

»Vielleicht hatte sie in einer aussichtslosen Situation keine andere Möglichkeit gesehen, um den Mord an ihrem Liebhaber René Walcha zu rächen«, lautete dessen Antwort.

Täubner hatte inzwischen die in Brigitte Reifenbergs Schlafzimmer konfiszierten USB-Sticks überprüft.

»Und? Irgendwas Interessantes darauf gefunden?«, fragte Irina.

»Nein, nur Musik«, sagte Täubner. »Offenbar hat René Walcha für Brigitte Reifenberg extra eine Sammlung zusammengestellt.«

»Was für Musik?«, fragte Nettelbeck.

»Smooth Jazz nennt sich das Zeug wohl.«

»Das ist wirklich nicht interessant.«

»Seid ihr bei Steffen Reifenberg weitergekommen?«

»Bei ihm ist nichts zu knacken«, Nettelbeck zuckte mit den Schultern.

»Soll ich es mal versuchen?«, fragte Täubner. »Nach dieser soften Gruselmucke bin ich in einer dermaßen schmusigen Stimmung, dass ich ihn mit meinem Gesäusel einlullen werde, bis er gesteht.«

»Nicht Reifenberg. Der ist so was von schroff, den schaffst

auch du nicht«, Irina schüttelte mitleidig den Kopf. »Da müssten wir dich vorher erst mal gründlich plastifizieren!«

»Bitte was?«, fragte Täubner.

»Dich weicher und geschmeidiger machen.«

Nettelbeck hatte aufgehorcht. »Was hast du gerade gesagt? Wiederhol das noch mal.«

»Weicher und …«

»Nein, davor«, unterbrach Nettelbeck.

»Meinst du plastifizieren?«

»Genau.«

Dem Kommissar war bei dem Wort schlagartig eingefallen, in welchem Zusammenhang er die Stimme der Entführerin möglicherweise schon einmal gehört haben konnte – bei einem acht oder neun Jahre zurückliegenden Mordfall.

Nettelbeck sah Täubner an: »Was ist mit diesem Medikament, Wilbert? Weißt du schon, wann die Packung Digitalista gekauft worden ist? Und von wem?«

»Darum wollte ich mich als Nächstes kümmern.«

»Gut. Fahrt beide bitte zu Frau Reifenbergs Arzt und befragt ihn nach ihrer kompletten Krankengeschichte. Mit allen Einzelheiten. «

»Geht klar. Willst du dir Steffen Reifenberg noch mal allein vornehmen?«

»Vielleicht später. Jetzt muss ich zum Tempelhofer Damm. Ins Archiv für Ermittlungsakten.«

69

Sein Blick fiel hinaus auf den Parkplatz, wo sein nagelneues Tesla Model S neben mehreren Mittelklassefamilienkutschen parkte. Er bewegte das schweineteure Teil viel zu selten.

Eigentlich hatte er vorgehabt, die Kollegin aus dem vierten Stock damit zum Mittagessen auszuführen. Sie hatte am Monatsanfang die Praxis für Neurologie und Psychiatrie übernommen. Von diesem beknackten Seelenheini. Der alte Drecksack hatte sich endlich auf seine Datsche in der Schorfheide verpisst. Wie der ihn immer angeguckt hatte im Fahrstuhl. Richtig ekelhaft. Ein schwuler alter Knacker, der sich weiß Gott wie attraktiv vorkam. Scheiß drauf. Jetzt war er ihn endlich los.

Bedauerlicherweise jedoch auch das Mittagsdate mit der schnuckeligen neuen Kollegin. Es war eine Weile her, dass er das letzte Mal mit einer Psychiaterin geschlafen hatte. Wurde mal wieder Zeit. Na ja, das gemeinsame Essen war nur verschoben und nicht aufgehoben.

Der Kardiologe gab sich einen Ruck und lächelte die beiden Kriminalbeamten, die ihn zur Unzeit überfallen hatten, zuvorkommend an.

»Seit diese Diagnose vorliegt, kommt Frau Reifenberg eigentlich jede Woche in meine Praxis.«

»Vielleicht könnten Sie uns die Erkrankung etwas näher erläutern, Dr. Zeller.«

»Gern. Sie litt an einer hochgradigen Herzinsuffizienz, also einer Herzmuskelschwäche. Einhergehend mit einer deutlich eingeschränkten Lebenserwartung.«

»Ist so etwas heilbar?«, fragte Wilbert Täubner.

»Normalerweise schon. Man macht eine Herztransplantation, aber in ihrem Fall war das ausgeschlossen. Durch eine frühere Erkrankung hatte Frau Reifenberg eine geschädigte Niere.«

»Wie weit war ihre Herzinsuffizienz denn vorangeschritten?«

»Schon ziemlich weit. Wir hatten gemeinsam eine medikamentöse Behandlung optimiert, doch allmählich ließ die Wirkung nach.«

»Heißt das, es gab keine Heilmöglichkeiten mehr?«

»Doch, ich hatte ihr dringend zu einer Operation geraten. Frau Reifenberg sollte sich einen ICD unter den Brustmuskel einpflanzen lassen, das ist ein implantierbarer Kardioverter-Defibrillator. Er ist über Kabel mit dem Herzen verbunden. Aber das lehnte sie ab.«

»Heißt das, sie hatte ihr Ende vor Augen?«

»Schwer zu sagen. Ich hatte gehofft, ich könnte sie doch noch von der Operation überzeugen. Dann hätte sie sicher einige Zeit länger leben können. Wenn auch mit Einschränkungen.«

»Und ohne OP?«

»Ein Jahr, ein paar Monate … so was kann man schlecht voraussagen.«

»Hatten Sie sie über diesen zeitlichen Rahmen aufgeklärt?«

»Selbstverständlich, was denken Sie!« Der klein gewachsene, etwas wabbelige Arzt funkelte Täubner durch seine auffällig dicken Brillengläser empört an. »Ich gehöre einer Arztgeneration an, die mit ihren Patienten einen vertrauensvollen Dialog sucht. Und zwar immer.«

Täubner lächelte entwaffnend: »Das wollte ich nicht infrage stellen.«

Dr. Zeller nickte besänftigt.

»Wann haben Sie eigentlich das letzte Mal ein Rezept für Frau Reifenberg ausgestellt?«, fragte Irina.

»Moment …« Der Kardiologe schaute auf seinen Monitor und gab auf der Tastatur ein paar Befehle ein. »Gestern früh … Über eine große Packung Digitalista.«

»Wissen Sie, bei welcher Apotheke Frau Reifenberg ihre Rezepte üblicherweise einlöste?«

»Vermutlich in der Apotheke hier unten im Haus. Soll ich mal kurz nachfragen?«

»Das würden Sie?« Irina strahlte ihn an. »Das wäre großartig.«

Dr. Zeller schmolz dahin und griff zum Hörer. Ein paar Sätze später stand es fest: Brigitte Reifenberg persönlich hatte gestern Morgen im Haus eine große Packung Digitalista gekauft.

70

Wilbert Täubner parkte den Dienstwagen unter einer Ulme, deren Wurzelwerk bereits die halbe Gehwegpflasterung hochgedrückt hatte. Dafür spendete sie der kurzen Stichstraße großzügig Schatten. Richtig hübsch war es hier am Stadtrand, fand der Kommissar. Er wandte sich seiner Beifahrerin zu.

»Ein zweites Mal klappt das nie«, sagte Täubner und zog ein Paar Einweghandschuhe über seine Finger.

»Wieso nicht?«, fragte Irina.

»Weil man dazu Glück braucht.«

»Und warum sollten wir kein Glück haben? Das Glück ist bekanntlich mit den Tüchtigen. Weißt du das nicht?«

»Doch«, erwiderte Täubner mit Bitterleichenmiene. »Das sag ich mir jeden Morgen, wenn ich vorm Spiegel stehe.«

»Dann los … Steig schon aus.«

»Ich soll alleine die Mülleimer der ganzen Straße absuchen? Das ist nicht dein Ernst, Irina!«

»Na klar. Einen besseren Ort, um schnell etwas verschwinden zu lassen, gibt es doch gar nicht.«

»Aber einer allein ist ungerecht!«

»Und wenn wir uns aufteilen?«, sagte Irina. »Ich nehme die beiden Häuser auf dieser Seite und du die links und rechts von Reifenbergs Haus?«

»Das würden Sie? Das wäre großartig!«, strahlte Täubner sie an und schaute so, als trüge auch er eine Brille mit meterdicken Gläsern.

»Spinner!«, spottete Irina und zog ebenfalls ein paar Einweghandschuhe aus ihrer Jackentasche.

Täubner stieg aus, überquerte die Straße und betrat das Nachbargrundstück auf der rechten Seite. Eine Armada von Mülltonnen stand unter einem offenen Holzverschlag, von der Farbe, Größe und Form her deutlich unterschiedlich: ein schwarzer Container für Hausmüll, eine grüne Tonne für Bio-Abfälle, eine gelbe Tonne sowie eine orangefarbene Box für Verpackungen, Kunststoffe, Metalle und Verbundstoffe plus einer blauen Tonne für Papier. Sogar einen Kombibehälter für Weiß- und Buntglas gab es. Beeindruckend, schoss es Täubner durch den Kopf, hier wohnte ein wahrer Müll-Connaisseur.

Aber wo hätte ein weniger müllaffiner Mensch hier etwas auf die Schnelle entsorgt? Ich selbst vermutlich bequemlichkeitshalber in der vordersten Tonne, dachte Täubner. Er öffnete die orangefarbene Box, die bis zum Anschlag mit Verpackungsfolien und Styroporbruchstücken gefüllt war. Er schob die oberen Schichten vorsichtig auseinander und da sah er es auch schon – ein leeres Fläschchen mit dem Etikett: *Digitalista® – Herztropfen – 100 Milliliter.*

Wilbert Täubner schmunzelte. Er war nicht nur enorm tüchtig, er hatte außerdem noch unverschämtes Glück. Aber vor allem hatte er eine kluge und hartnäckige Freundin.

71

Es lief hervorragend, die Sätze flossen förmlich aus ihm heraus, flutschten nur so in das Internetforum. Ein Drittel seines Tagespensums hatte Kai Holm bereits geschafft und er war allerbester Laune.

Was seine Fiesheitskurve logischerweise noch schneller ansteigen ließ.

> KleinerSelbstständiger
>
> Ich muss ständig Zwangsbeiträge abdrücken, damit die Speckbuletten im Vorstand dieser sogenannten Industrie- und Handelskammer einen lauen Lenz schieben! Die kennen doch nichts anderes als Verschwendung und Veruntreuung, das Pack!

Kai hörte Schritte im Flur und schrieb schnell ein weiteres Posting zu Ende:

> KleinerSelbstständiger
>
> Diese Verbrecher sollte man alle zusammen an die Wand stellen! Das ist die reinste Mafia! Denen geht es nur darum, uns auszupressen. Und unsere Damen und Herren Politiker machen natürlich mit, diese geschmierte Gurkentruppe!

Kai stand auf, nahm ein kleines gelbes Büchlein vom Schreibtisch und verließ sein Büro.

Nadine Lemmnitz stand am Büfett, schnitt Brot ab und beobachtete Efua Marie, die am Küchentisch gelangweilt mit dem ausgebrannten Teelicht in einem Stövchen spielte.

Kai kam herein und die Kleine schaute ihn ängstlich an. Er lächelte ihr freundlich zu.

»Machst du mir bitte auch ein Brot, Nadine?«

»Klar. Womit?«

»Käse ist voll okay.«

Kai setzte sich zu Efua Marie an den Küchentisch und blätterte in seinem Büchlein. Es war ein Sprachführer Portugiesisch-Deutsch, mit den wichtigsten Sätzen und Wörtern für eine Portugalreise. Er fand schnell, wonach er gesucht hatte, und las die Stelle ab.

»Eu sou alemão. … É você de Angola?«

Die Kleine schaute ihn mit großen Augen an, die reinstes Unverständnis ausdrückten.

Noch einmal, dachte Kai, und sprich etwas langsamer. »Você gosta Alemanha?«

Keine Reaktion.

»Was soll das?«, fragte Nadine alarmiert, starrte Kai böse an.

»Ich versuche, mit ihr zu reden.«

»Sie kann kein Deutsch. Habe ich dir doch gesagt.«

»Aber Portugiesisch.«

»Auch kein Portugiesisch. Sie kommt aus Angola.«

»Da redet man Portugiesisch.«

»Quatsch, Angola ist in Afrika.«

»Trotzdem sprechen die dort Portugiesisch. War mal 'ne Kolonie.«

Für einen Moment hatte es Nadine die Sprache verschlagen, sodass Kai sich wieder dem Mädchen zuwenden konnte.

»O meu nome é Kai … E qual é o seu nome?«

Nadine fühlte, wie die Wut in ihr anstieg. Sie hielt das Brotmesser so fest umklammert, dass die Knöchel weiß hervortraten. In ihr arbeitete es. Fieberhaft überlegte sie, was sie jetzt tun sollte.

72

Das Archiv für Ermittlungsakten befand sich im Kellergeschoss des Landeskriminalamtes Tempelhofer Damm und wurde von zwei Polizisten betreut, die ihre Beamtenlaufbahn bereits Anfang der Siebzigerjahre des letzten Jahrhunderts gestartet hatten: Mischa Polk und Willy Kaiser. Nettelbeck kannte beide. Und er kannte auch die Geschichten ihres gemeinsamen Triumphes. Er hatte sie sich als junger Beamter zigmal anhören müssen. Wie Polizeimeister Polk und Polizeihauptwachtmeister Kaiser am 27. Juni 1970 in die legendäre Schießerei in der Charlottenburger Bleibtreustraße geraten waren. Eine Auseinandersetzung zwischen Konkurrenten aus dem Rotlichtmilieu. Deutsche Zuhälter gegen iranische Luden. Revolverschüsse und Maschinengewehrgarben gellten damals durch die Bleibtreustraße – danach sprach man in West-Berlin jahrelang nur noch von der *Bleistreustraße*. Die Bilanz belief sich immerhin auf einen toten und drei schwer verletzte Perser. Und wenn Mischa Polk und Willy Kaiser nicht vor Ort gewesen wären – wer weiß, was dann …

Die beiden Männer freuten sich enorm, Martin Nettelbeck wiederzusehen.

»Hast ja richtig Karriere gemacht, Junge. Wir sind echt stolz auf dich.«

»Menschenskind, du wirst es noch weit bringen. Jede Wette!«

Der Kommissar nickte und stellte grinsend eine Flasche

Chantré auf Polks Schreibtisch, die er unterwegs noch besorgt hatte.

»Oder habt ihr es drangegeben?«

»Ach was, soweit kommt das noch«, blitzschnell ließ Polk die Flasche in seinem Schreibtisch verschwinden.

»Was hast du auf dem Herzen?«, fragte Kaiser.

»Ich müsste mal in eine Strafsache reinschauen, bei der ich vor etwa acht, neun Jahren die Ermittlungen geleitet habe.«

»Kennst du das Aktenzeichen? Oder hast du einen Namen?«

»Nein. Es ging um Ehegattenmord. Eine Frau hat ihren Mann damals gemeinsam mit ihrer Geliebten erdrosselt.«

»Suchst du nach etwas Bestimmtem?«

»Eine Tonaufnahme wäre gut. Falls so was noch vorhanden ist.«

»Okay«, Polk schaute seinen Kollegen an. »Bist du so nett, Willy?«

Kaiser nickte und verschwand zwischen den Regalreihen.

Polk deutete auf einen Arbeitstisch. »Setz dich schon mal, Martin. Willy bringt dir gleich alles.«

Der Kommissar nickte.

Neun Minuten später kehrte Willy Kaiser mit einem Aktenkarton zurück. Es gab nur noch von einem einzigen Verhör eine Tonaufnahme, immerhin waren beide Täterinnen anwesend gewesen. Alle anderen Aufnahmen waren damals in Schriftform transkribiert worden.

Nettelbeck hörte sich die Aufnahme an und er erkannte die raue heisere Stimme von Efua Maries Entführerin sofort wieder. Die Frau hieß Nadine Lemmnitz, er hatte sie seinerzeit wegen Beihilfe zum Mord an dem Ehemann ihrer Geliebten Petra Hennecke verhaftet. Lemmnitz war zu sieben Jahre Haft verurteilt worden. In dem Verhör benutzten beide Täterinnen das Wort ›plastifiziert‹, ein Fachbegriff aus ihrer Arbeit in einem Kunststoff-Spritzgießwerk. Die Frauen beschrieben damit den Charakter des ermordeten Elmar Henneckes, ein gefühlloser, abgestumpfter Typ – total plastifiziert eben.

Martin Nettelbeck griff zum Smartphone und rief Jutta Koschke an. Er nahm den Umweg über seine Chefin, da er es vermeiden wollte, sich offiziell in die Arbeit der Kollegen vom Dezernat 11 einzumischen. Aus eigener Erfahrung wusste er, dass das nicht sonderlich hilfreich war. Der Kommissar gab Koschke die nötigsten Informationen, erklärte ihr, dass Nadine Lemmnitz die Entführerin seiner Tochter war. Dann bat er sie, alles schnellstens an die Kollegen weiterzuleiten. Eine Bitte, der die Kriminalrätin mit allergrößtem Vergnügen nachzukommen versprach.

73

Während er auf seinem Käsebrot kaute, blätterte Kai Holm in seinem Portugiesisch-Deutsch-Sprachführer. Endlich wurde er fündig und grinste Efua Marie an.

»Das ist gut, das verstehst du. … Estou cinqüenta e um. … Quantos anos você tem?«

»Hör auf damit«, sagte Nadine Lemmnitz aggressiv. »Sofort!«

»Das ist ja wohl immer noch meine Wohnung«, antwortete Kai, ohne Nadine auch nur anzublicken. »Como se diz Berlin em português? … Você pode falar Inglês?«

Nadine griff nach Efua Maries Hand und riss sie vom Stuhl. »Komm, wir gehen!«

»Was soll der Scheiß?« Kai sprang auf. »Wohin willst du?«

»Wir sind schon viel zu lange hier. War echt nett, dass ihr uns geholfen habt«, Nadine zwang sich zu einem Lächeln. »Total super, Kai. Danke noch mal für alles. Das macht nicht jeder!«

Sie wollte Efua Marie aus der Küche ziehen, doch Kai war schneller und versperrte den beiden den Weg. »So läuft das nicht. Also, was verheimlichst du uns? Was ist mit dem Mädchen?«

»Wieso? Was meinst du?«

»Im Steglitzer Kreisel gibt es keine Flüchtlingsinitiative. Das Ding steht nämlich schon ewig leer.«

»Doch, die haben eine Sondergenehmigung bekommen. Vom Bürgermeister.«

»Vom Bürgermeister?«

»Ja, weil sie so gute Arbeit machen. Der hat ihnen fünf Etagen gegeben.«

»Fünf?« Kai grinste zynisch. »Warum nicht gleich zehn? Oder das ganze Gebäude?«

»Hätten sie auch haben können, aber fünf Etagen waren genug.«

»Quatsch! Du lügst dir doch irgendeinen Scheiß zusammen. Hast du das im Knast gelernt oder konntest du das schon vorher?«

»Lass uns gehen.«

»Du kannst gehen, aber die Kleine bleibt hier.«

Wirre Gedanken schossen durch Nadines Kopf: Mein perfekter Plan ... Die hunderttausend Euro Lösegeld ... Ich muss meine wunderschöne Petra rächen ... Ich muss den Bullen abstechen ... den Bullen abstechen ... den Bullen abstechen ... Nadine griff unter ihr T-Shirt und zog das Survivalmesser aus der Scheide.

»Geh weg!«

Kai lachte laut. »Komm, die Nummer zieht bei mir nicht. Verpiss dich. Sofort. Und ohne das Mädchen. Sonst rufe ich die Bullen!«

Nadine schnellte nach vorn und rammte Kai mit voller Wucht das Messer in den Bauch. Es drang unter dem linken Rippenbogen ein, verletzte den Darm, eine Blutfontäne schoss aus der Wunde.

Efua Marie schrie auf, während Kai zu Boden sackte. Ungläubig starrte er auf die Wunde, dann drückte er beide Hände darauf, um den Blutfluss zu stoppen.

»Halt deine Schnauze!«, schrie Nadine das Mädchen an, das blutige Messer bedrohlich schwenkend.

Die Kleine verstummte. In dem Moment wurde die Tür aufgeschlossen. Kerstin Reinke betrat die Wohnung.

Aus Kais Gesicht war mittlerweile sämtliches Blut gewichen, er zitterte, Schweiß stand auf seiner Stirn. »Ich wollte doch nur helfen!«, stammelte er.

Kerstin kam in die Küche, blieb entsetzt stehen, brauchte einen Moment, um die Situation zu erfassen.

»Das Schwein wollte die Kleine ficken!«, schrie Nadine außer sich. »Die Drecksau da! Glaub mir!«

Efua Marie schaute auf den verblutenden Mann. Sie zog die Bobbypfeife unter ihrem T-Shirt hervor, setzte sie an die Lippen und blies hinein. So kräftig sie konnte. Ein unangenehm schriller lauter Ton gellte durch den Raum.

Nadine fuhr panisch herum.

»Du lügst«, schrie Efua Marie. »Du lügst! Du lügst! Du lügst!«

Kerstin riss eine Bratpfanne aus dem Regal, hieb mit aller Kraft auf Nadine ein. Traf die Schulter. Das Survivalmesser fiel zu Boden, mit einem Tritt beförderte Kerstin es aus Nadines Reichweite. Die wirbelte herum, prügelte mit den

Fäusten auf ihre Knastfreundin ein. Kerstin wich zurück und gab die Tür frei. Nadine rannte aus der Wohnung.

Kerstin kniete neben Kai nieder, der teilnahmslos ins Leere starrte.

»Kai! Ich hole Hilfe! Halte durch!«

»Ich wollte einmal etwas richtig Gutes tun, Blondie«, flüsterte er. »Nur einmal etwas richtig Gutes.«

Dann verlor er das Bewusstsein.

74

Martin Nettelbeck hatte bereits die Fahrertür geöffnet, als Wilbert Täubner ihn anrief. Er hatte das leere Digitalista-Fläschchen in der Kriminaltechnik daktyloskopisch untersuchen lassen – Achim Lebeck hatte keine Fingerabdrücke gefunden. Aber die Chargennummer entsprach exakt der Packung Digitalista, die Brigitte Reifenberg am Vortag in der Apotheke gekauft hatte. Sie hatte den Inhalt des Arzneifläschchens in ihren Saft gekippt und es anschließend in den Müll des Nachbarn geworfen. Danach hatte sie Nettelbeck angerufen und Suizid begangen. Steffen Reifenberg war zu diesem Zeitpunkt schon bei der Tagung gewesen und der Mordvorwurf ließ sich deshalb nicht mehr halten.

Nettelbeck hatte daraufhin wieder die Fahrertür geschlossen, war ins LKA-Hauptgebäude gegangen und in den dritten Stock hochgefahren, wo Roger Delbrück sein Büro hatte. Der Kommissar erklärte seinem Expartner, dass Reifenberg aufgrund des sichergestellten Medikamentenfläschchens vorerst vom Mordverdacht gegen seine Frau entlastet war.

Der Leitende Kriminaldirektor saß zurückgelehnt in seinem ledernen Chefsessel, hatte die Hände hinter dem Kopf

verschränkt und grinste Nettelbeck breit an. Wie das sprichwörtliche Honigkuchenpferd. »Was heißt hier vorerst?«

»Vorläufig.«

»Du willst Steffen Reifenberg also wieder auf freien Fuß
setzen?«

»Darauf läuft es hinaus.«

»Ich werde dich nicht daran hindern, Martin. Das kann
ich dir schriftlich geben.«

»Der Mann ist trotzdem nicht koscher ...«

»Hey, gib einfach mal zu, dass du dich verrannt hast.«

»Nein, aber im Moment ... Egal. Das ist aber nicht der
Hauptgrund, warum ich hier bin.«

»Sondern?«

»Mich lässt der Gedanke nicht los, was wohl die Kinder
von mir denken. Ein Polizist, der die Hände in den Schoß
legt und Däumchen dreht ... Du hast doch selbst Kinder ...«

Schlagartig verschwand der spöttische Gesichtsausdruck
in Delbrücks Gesicht. »Hör auf, Martin. Das ist Unsinn!
Wir wissen beide, dass du dich gar nicht einmischen darfst.
Sag das deiner Familie. Sie werden es verstehen. Bestimmt.«

»Bist du dir sicher?«

»Ja. Eine andere Wahl hast du sowieso nicht.«

Nettelbeck nickte. Aber sehr überzeugt wirkte er nicht.

Auf dem Weg zum Fahrstuhl kamen ihm Lutz Büchler und
Max Hartl entgegen. Die drei Männer nickten sich knapp
zu, keiner von ihnen sah offenbar eine Veranlassung, mehr
als diese Geste auszutauschen. Als der Fahrstuhl sich öffnete
und Nettelbeck die Kabine betrat, sah er in den Augenwin-
keln, wie die beiden in Roger Delbrücks Büro verschwanden.

Jutta Koschke betrachtete die Bilder, die vor acht Jahren bei der erkennungsdienstlichen Behandlung von Nadine Lemmnitz gemacht worden waren. Der Blick der blonden jungen Frau war etwas verschlagen, aber das konnte auch dem kalten Blitzlicht geschuldet sein. Die Fotoaufnahme einer Festgenommenen war nun mal kein Bewerbungsbild für eine gut bezahlte Leitungsposition im öffentlichen Dienst. Die Kriminalrätin überlegte, erneut im Dezernat 11 nachzufragen, ob es schon Neues im Fall des entführten Mädchens gäbe, da klopfte es an der Tür.

Heiner Materna stürmte herein. Unter dem offenen Jackett war ein Halfter mit seiner Dienstwaffe zu sehen. Der Kriminaloberrat schien völlig verändert. Nichts erinnerte mehr an einen gemütlichen Dezernatsleiter, der die Jahre bis zu seiner Pensionierung zählte, sondern Materna erinnerte an Zeus persönlich, an den Gott des Blitzes auf Rachetour. Seine weißen Haare standen wild vom Kopf ab, seine Augen leuchteten.

»Wir haben die Lemmnitz! Gerade kam ein Anruf rein. Sie hat jemanden niedergestochen!«

»Martins Kleine?«, Koschke sprang erschrocken auf.

»Nein. Einen Mann. Willst du mitkommen?«

»Unbedingt!« Die Kriminalrätin schlüpfte bereits in ihre Jacke.

»Gut, nimm aber besser deine Dienstwaffe mit, Jutta!«

Koschke nickte Materna cool zu. Innerlich aber bebte sie: Kaum eine Woche wieder im Amt und schon die volle Action. Irgendwie klasse!

Die drei Männer hatten sich erst gar nicht groß mit Small Talk aufgehalten, da klar war, weshalb Lutz Büchler und Max Hartl in Delbrücks Büro gekommen waren. Der Kriminaldirektor nahm seinen Dienstausweis und loggte sich mittels des Magnetstreifens am Computer ein. Im POLIKS, dem Polizeilichen Landessystem zur Information, Kommunikation und Sachbearbeitung, rief er die Vorgangsakte *Mordsache René Walcha* auf. Dann erklärte Delbrück seinen Kollegen, dass er in der Kantine zum Mittagessen verabredet sei. Es wäre nett, wenn sie spätestens in einer halben Stunde mit der Durchsicht fertig seien. Falls sie es früher schafften, sollten sie einfach den Raum verlassen und die Tür hinter sich zuziehen. Büchler und Hartl dankten ihm und Delbrück verließ sein Büro.

Konzentriert machten sich die beiden Kriminaldirektoren an die Arbeit. Sie wechselten kaum ein Wort, sahen die Vorgangsakte durch, Seite für Seite, auf der Suche nach einem Detail, das ihnen weiterhelfen würde. Nach sechs Minuten hatten sie gefunden, wonach sie gesucht hatten – der Bericht über ein rotes Kunstlederpartikel, das auf der Mordwaffe entdeckt worden war.

Büchler und Hartl schauten sich an. Beide Männer wussten, was das bedeutete.

Im Fahrzeugpulk raste Heiner Maternas Team durch Moabit. Vorneweg der Wagen des Dezernatsleiters, der neben Jutta Koschke auf der Rückbank saß. Er betrachtete sie fürsorglich.

»Bleib immer schön hinter mir, Jutta. Dann kann dir nichts passieren.«

»Geht klar, Heiner«, antwortete die Kriminalrätin abwesend, ohne den Blick von der Straße abzuwenden.

»Ich meine es nur gut«, Materna zwinkerte ihr aufmunternd zu. »Du warst schließlich eine Weile außer Dienst und …«

»Stopp!«, schrie Koschke. »Halt! Sofort!«

Während der Fahrer in die Bremsen stieg und der Wagen über die Kreuzung schlitterte, sah Koschke der jungen blonden Frau nach, die zum U-Bahnhof Birkenstraße rannte. Das war sie. Kein Zweifel. Koschke hatte sich das Foto lange genug angesehen – das war Nadine Lemmnitz!

Der Wagen kam zum Stehen. Koschke stieß die Tür auf und sprang hinaus. »Die Lemmnitz, Heiner!«

Koschke rannte der Entführerin hinterher, beobachtete, wie Nadine die Stufen zur U-Bahn hinablief. Sofort nahm sie die Verfolgung auf.

Die U-Bahn-Station war menschenleer, eine Bahn gerade erst abgefahren.

Nadine stand am Bahnsteig, die Arme verschränkt, versuchte sie, möglichst unauffällig zu wirken. Sie hatte noch nicht bemerkt, dass sie verfolgt wurde.

Jutta Koschke verließ die Treppe und näherte sich der Entführerin in normalem Schritttempo. Als sie noch fünf Meter entfernt war, zog sie ihre Dienstwaffe.

In diesem Moment ging Nadines Blick in Koschkes Richtung. Ein neuer Schub Adrenalin schoss durch ihren Körper, sie erfasste die Lage mit einem Blick. Nadine sprintete zum anderen U-Bahn-Zugang, wo gerade eine Mutter einen Kinderwagen mühsam die Treppe hinabbugsierte.

»Halt Polizei! Bleiben Sie stehen!«

Nadine reagierte nicht, rannte weiter.

Koschke ging in Schussposition, hielt ihre Waffe mit beiden Händen. Sie zielte auf das rechte Bein der Flüchtenden, doch im letzten Moment zog sie die Dienstpistole ein klein wenig höher, sodass die Kugel direkt in Nadines Gesäßbacke explodierte. Mit lautem Schrei sackte die Entführerin zusammen, schrie wie am Spieß.

Tja Baby, jetzt bist du echt im Arsch, dachte die Kriminalrätin und trat zu der vor Schmerz brüllenden jungen Frau.

»Ich verhafte Sie wegen Kindesentführung und versuchten Mordes«, sagte Koschke und tastete Nadine nach Waffen ab.

Keuchend rannte Heiner Materna zu Jutta Koschke und reichte ihr ein Paar Handschellen.

»Hast du echt klasse gemacht, Jutta.«

Die Kriminalrätin fesselte Nadines Hände auf dem Rücken und grinste ihren Kollegen an. »Gelernt ist eben gelernt, Heiner.«

Der Kriminaloberrat lächelte und dachte: Wow! Was für ein cooles Weib!

78

Auch die Kriminalpolizei geht im Alltag nicht immer ganz zielgerichtet vor. Scheinbar wichtige Ermittlungsschritte werden bevorzugt durchgeführt, während angebliche Nebensächlichkeiten, die sich am Ende als eminent wichtig herausstellen, tagelang liegen bleiben. Das ist dem Tunnelblick der typischen Ermittlungsarbeit geschuldet und damit müssen sich die Kriminalkommissare rund um den Globus herumschlagen.

In diesem Fall war es auch nicht anders. Täubner und Irina saßen an ihren Rechnern und kontrollierten sämtliche Dateiordner, die auf René Walchas Smartphone gespeichert waren. Zwar hatte Achim Lebeck das Gerät gründlich untersucht, aber er verfügte ebenfalls über einen Tunnelblick – der selektiven Sicht des Technikers. Es war nur logisch, dass Lebeck Zusammenhänge außerhalb seines vorgegebenen Aufgabenfeldes nicht unbedingt erkennen konnte. Also hatten sie sich an die Arbeit gemacht, ohne Großes davon zu erwarten. Während Irina die Bilddateien durchging, durchsuchte Täubner die sonstigen Ordner. Sie arbeiteten stumm, sprachen kein Wort miteinander. Als wäre ihre Liebe plötzlich kollabiert. Was aber keineswegs der Fall war. Unter Täubners Schreibtisch stand eine prall gefüllte Einkaufstüte mit vielen Leckereien, um damit am Abend die erste erfolgreiche Woche ihres *Jetzt-leben-wir-sechs-Wochen-gemeinsam-Experimentes* ausgiebig zu feiern.

»Wilbert, komm!«, platzte Irina plötzlich in die Stille.

»Was ist?«, fragte der Kommissar erschrocken.

»Schau dir das an.«

Täubner stand auf und trat an den Schreibtisch seiner Freundin.

Auf dem Monitor war ein Foto zu sehen, das René Walcha während der Radtour irgendwo im Spreewald aufgenommen hatte. Es zeigte Lutz Büchler, Max Hartl und Steffen Reifenberg neben ihren Fahrrädern, vor einem Imbiss stehend. Alle drei bissen herzhaft in eine Spreewaldgurke. Irina zoomte auf Steffen Reifenberg und Täubner sah, dass in seinem Hosenbund rote Radfahrerhandschuhe klemmten.

»Reifenberg war es ...«

»Das wird aber nicht ausreichen, um es gerichtsfähig zu machen.«

»Nein, entweder wir schaffen es in einem weiteren Verhör, dass er den Mord zugibt, oder ...«

»Oder was?«, fragte Irina.

»Oder ... du wirst schon sehen.«

79

Der Abschnitt 41 lag im Schöneberger Norden, in einer ruhigen Seitenstraße direkt neben dem bezirklichen Amtsgericht. Da sowohl Lutz Büchler als auch Max Hartl mit der Bahn nach Berlin gekommen waren, mussten sie erst einen Wagen in einer Autovermietung nahe dem Zoologischen Garten leihen. Ein unauffälliger dunkler Kleinwagen, den die beiden Kriminaldirektoren privat niemals gefahren hätten. Aber was tat man nicht alles der Wahrheitsfindung zuliebe.

Sie hatten den Opel Corsa gegenüber dem Polizeigebäude geparkt, etwa acht Meter vom Haupteingang entfernt. Es war zwar schon Jahre her, dass sie dienstlich mit einer Personenverfolgung beauftragt gewesen waren, aber ihre diesbezüglichen Instinkte sollten wohl noch funktionieren. Unterwegs zum Abschnitt 41 hatten sie kurz an einem Baumarkt gehalten und Max Hartl hatte ein paar Einkäufe erledigt. Auf der Rückbank lagen jetzt ein kurzes schweres Gipserbeil, ein Stechbeitel mit extrascharfer Klinge, ein Fliesenlegerhammer mit spitz zulaufender Finne und ein Satz überbreiter Kabelbinder. Mal sehen, was sie davon benutzen

würden. Jetzt konnten sie die Dinge nur noch auf sich zu-
kommen lassen.

Ein Taxi kam angefahren und hielt direkt vor dem Haupteingang. Steffen Reifenberg verließ das Polizeigebäude, stieg
hinein und der Wagen fuhr los.

Lutz Büchler wartete noch einen Moment. Dann gab er
Gas und nahm die Verfolgung auf.

80

Das Mietshaus, in dem Kai und Kerstin wohnten, war groß-
räumig abgesperrt worden und der Schwerverletzte wurde
bereits vom Notarzt behandelt. Sein Zustand war stabil, die
Messerstecherin hatte weder das Herz, die Niere noch die
Lunge getroffen, er würde durchkommen. Jetzt war Kai in
Kerstins Begleitung unterwegs ins Krankenhaus.

Jutta Koschke saß mit Efua Marie in Heiner Maternas
Dienstwagen und das Mädchen telefonierte mit Philomena
Baddoo. Aufgeregt erzählte sie von den vergangenen Tagen,
ließ ihre Mutter kaum zu Wort kommen. Schließlich reichte
sie der Kriminalrätin das Smartphone.

»Mama will dich sprechen.«

Koschke redete kurz mit Philomena und versprach, dass
sie ihr Efua Marie innerhalb der nächsten zwanzig Minuten
bringen werde. Dann beendete sie das Telefonat und versuchte erneut, Martin Nettelbeck zu erreichen. Doch bei
dem war immer noch, beziehungsweise schon wieder, besetzt.

Heiner Materna drehte sich auf dem Vordersitz um und
lächelte. »Benötigen die Damen zufällig einen Chauffeur?
Ich stehe ganz zu Ihrer Verfügung.«

Jutta Koschke und Efua Marie tauschten einen Blick aus.

»Was meinst du, wollen wir das Angebot annehmen?«

Das Mädchen nickte begeistert.

»Dann einmal zum Lietzensee, der Herr. Aber auf direktem Weg, wenn ich bitten darf.«

»Wird gemacht, gnädige Frau.« Der Kriminaloberrat gab Gas.

81

Das Taxi, mit Steffen Reifenberg auf der Rückbank, quälte sich durch den dichten Innenstadtverkehr. Endlich wurde der Verkehr fließender, es taten sich Lücken auf, sie näherten sich Pankows grüner Lunge. Der Kriminaldirektor hatte überlegt, ob er Marius Fechner seinen Besuch ankündigen sollte, es dann aber gelassen. Es war immer besser, wenn man das Überraschungsmoment auf seiner Seite hatte. Falls der Bauunternehmer nicht zu Hause war, konnte er ihn immer noch anrufen. Im Grunde hatte sich die ganze Angelegenheit noch einigermaßen akzeptabel entwickelt. Sie durften jetzt bloß nicht in Panik verfallen. Dann würde alles gut werden.

Das Taxi stoppte vor dem Eingangstor zum Flakturm, der Opel Corsa hielt außerhalb von Reifenbergs Sichtfeld. Der Kriminaldirektor zahlte und stieg aus dem Wagen. Er betrat das Gelände, ging zum Bunkereingang und drückte auf den Klingelknopf. Es dauerte eine Weile, bis ihm endlich Fechners sonore Stimme antwortete.

»Was willst du denn hier?«

»Lass mich rein. Wir müssen reden.«

»Okay, ich komme runter. Dauert aber einen Moment.«

»Kein Problem.«

Reifenberg hatte sich die Argumente bereitgelegt, die Fechner dazu zwingen sollten, ihm seinen Anteil vorzeitig auf ein Konto auf den Cayman Islands anzuweisen. Aufgrund des Suizids seiner Frau und der damit einhergehenden Beschuldigungen hatte der Kriminaldirektor glaubwürdige Gründe, um wegen Dienstunfähigkeit vorzeitig aus dem Polizeidienst auszuscheiden. Wahrscheinlich sogar mit vollen Bezügen, wenn er den richtigen Arzt fand. Er würde sein Haus verkaufen und irgendwo im Süden neu anfangen. Mit siebenundvierzig Jahren und fünf Millionen auf dem Konto stand ihm das Leben sperrangelweit offen. Sogar eine Familie mit Frau und Kindern könnte er noch gründen. Wieso eigentlich nicht, dachte er lächelnd, eine heißblütige Südländerin macht mich bestimmt noch mal zehn Jahre jünger.

Die Tür wurde von innen geöffnet, gleichzeitig bohrte sich ein spitzer Gegenstand in seinen Rücken. Seine Hände wurden nach hinten gerissen und mit einem Kabelbinder gefesselt.

»Komm rein«, hörte er Fechners Stimme, da stolperte er schon über die Türschwelle und fiel zu Boden. Als Reifenberg hochblickte, sah er, wie Lutz Büchler Marius Fechner mit einem Hammer mehrmals hart in die Seite schlug. Der Bauinvestor krümmte sich vor Schmerzen und Max Hartl fesselte auch ihm die Hände mit einem Kabelbinder.

»Wir müssen auch reden. Steht auf!«

»Was soll der Scheiß?«, fragte Reifenberg seine Freunde und versuchte, Souveränität zurückzugewinnen.

Doch Hartl riss ihn hoch und schubste Reifenberg zur Treppe.

»Wir stellen die Fragen. Du hältst erst mal die Schnauze. Geht nach oben.«

Während er Fechner in den ersten Stock folgte, überlegte Reifenberg fieberhaft, was seine Freunde wohl wussten. Und was er bei ihnen zu seiner Verteidigung vorbringen konnte.

82

Nettelbeck betrat sein Büro, in dem ihn Täubner und Irina bereits ungeduldig erwarteten. Was mit seinem Mobiltelefon los sei? Seit zwanzig Minuten versuchten sie, ihn zu erreichen. Efua Marie sei befreit worden und habe alles gesund überstanden.

»Gott sei Dank!«, entfuhr es Nettelbeck. »Endlich!« Seine Augen leuchteten.

»Nadine Lemmnitz wurde auf der Flucht verhaftet«, berichtete Irina.

»Von Jutta Koschke höchstpersönlich«, fügte Wilbert Täubner hinzu.

»Im Ernst?«, fragte Nettelbeck verblüfft. Gleichzeitig untersuchte er sein Smartphone. »Das Ding hat den Geist aufgegeben. Zehn Tage nach Ablauf der Garantie.«

»So geht es mir immer mit diesen Scheißkaffeepadmaschinen«, sagte Täubner. »Ich habe gerade die dritte Maschine in Folge entsorgt.«

»Gib mir bitte mal deins, Wilbert.«

Täubner reichte Nettelbeck sein Smartphone und der Kommissar rief zu Hause an.

»Besetzt ...«

»Wir haben auf Walchas Mobiltelefon ein Foto gefunden. Die roten Fahrradhandschuhe gehörten Reifenberg.«

»Scheiße!«

Nettelbeck sprach mit dem Abschnitt 41 und erfuhr, was er bereits vermutet hatte: Steffen Reifenberg war bereits freigelassen worden.

»Setz Achim Lebeck in Bewegung, Wilbert! Er soll Reifenbergs Mobiltelefon orten und uns Bescheid geben, wo der sich aufhält.«

»Yep!« Täubner drückte auf seinem Smartphone auf Lebecks Taste.

»Gefahr in Verzug, den Durchsuchungsbefehl besorgen wir später«, erklärte Nettelbeck und lächelte Irina an. »Widerspricht es dem Geist der Frauenquote, wenn du uns fährst? Ich bin im Moment viel zu sehr durch den Wind.«

»Überhaupt nicht. Aber ich warne dich, Martin. Im Straßenverkehr neige ich zu einer äußerst dynamischen Fahrweise«, erwiderte Irina. »Auch wenn man es mir gar nicht ansieht.«

Nettelbeck grinste: »Dann kommt jetzt dein großer Auftritt!«, und schon war er im Flur. Irina und Täubner folgten eilig.

83

Die düstere graue Atmosphäre im ersten Stock des Flakturms kam dem Vorhaben von Büchler und Hartl perfekt entgegen. Die beiden Kriminaldirektoren wollten die Wahrheit erfahren, dazu waren sie bereit, bis an die äußerste Grenze zu gehen. Wo genau die lag, das hatten sie bei ihren Zweiergesprächen bewusst im Unklaren gelassen.

Weitere Kabelbinder hatten Verwendung gefunden. Marius Fechner kniete auf dem Boden, seine Hände waren an ein über ihm hängendes riesiges stählernes Dreieck gefesselt, ein

Vorentwurf der Skulptur *South America Triangle* von Bruce Nauman. Steffen Reifenberg war mit seinen Extremitäten an die Beine einer gigantisch hohen Spinne aus bronziertem Stahl fixiert. Eine plastische Arbeit von Louise Bourgeois aus den Neunzigerjahren.

Lutz Büchler hielt in der einen Hand den Fliesenlegerhammer, in der anderen den Stechbeitel und glotzte mit stierem Blick die Gefangenen an; Max Hartl presste das schwere Gipserbeil vor die Brust und schaute beseelt zur aschgrauen Decke – die perfekte Inkarnation des Schutzheiligen der Kalker- und Gipserinnung.

»Wir wollen es euch nicht unnötig schwer machen«, sagte Hartl. »Ihr habt René Walcha getötet.«

»Und deswegen hat sich Gitte das Leben genommen«, ergänzte Büchler. »Eigentlich solltet ihr beide ebenfalls tot sein, ihr widerlicher Abschaum.«

»Wer weiß, vielleicht kommt es dazu ja noch. Der Tag ist noch lang.« Hartl richtete sich zu voller Größe auf.

»Es liegt ganz bei euch«, Büchler trat an ein dunkelgraues Wandrelief von Rosemarie Trockel, holte mit dem Hammer aus und hieb solange auf die brünierte Oberfläche ein, bis sie vollständig zerstört war.

»Nein! Nicht!«, schrie Marius Fechner. »Bitte! Nicht!«

»Das ist nur tote Materie«, lächelte Hartl. »Wir hören sofort auf, es ist allein eure Entscheidung.«

»Sagt uns, was wir wissen wollen.«

»Wir haben René nicht getötet«, sagte Reifenberg. »Er war völlig korrupt. Total verkommen. René hat nicht mehr weitergewusst und sich deshalb selbst gerichtet.«

»Du weißt genau, dass das nicht wahr ist. Du bist das korrupte Schwein, Steffen. Du hast dich von dem Scheißhaufen dort schmieren lassen.«

»Und als René es herausbekommen hat, hast du ihn hinterrücks erschossen. Wie ein Stück Vieh.«

»Und ihr glaubt, dass ihr diesen Schwachsinn beweisen könnt?«, Reifenberg lachte trocken. »Da muss ich euch enttäuschen. Ihr werdet nichts gegen mich finden. Auch nichts in Renés Akten.«

Die beiden Kriminaldirektoren tauschten einen Blick aus. Dann ging Hartl zu Marius Fechner.

»Sie müssen nicht glauben, dass die Zerstörung des Objektes meinem Freund gerade Spaß gemacht hat. Nein. Er liebt die Kunst. Ich bin von uns beiden der Kunstbanause. Leider.«

Hartl nahm Büchler die Axt ab, wandte sich bedrohlich einem übergroßen grau-grün-braunen Gemälde zu: »Ich hasse Kunst! Ich hasse sie!«

»Nicht den Anselm Kiefer! Nicht den Anselm Kiefer! Bitte! Ich rede, ich rede!«

Hartl ließ das Beil sinken. »Gut, wir hören.«

»Marius, die bluffen nur«, sagte Reifenberg mit heiterer Stimme. »Sie können uns gar nichts. Es gibt keine Beweise. Für nichts. Ich kenne die Akten.«

Hartl hob erneut das Beil, doch Büchler hielt ihn mit einer Geste zurück.

»Sie sind das schwächste Glied, Herr Fechner«, sagte Hartl. »Was glauben Sie, wie leicht es uns fallen wird, die Akten nachträglich mit Beweisen zu füttern?«

Die souverän-dynamische Fassade des Kunstsammlers war inzwischen völlig zusammengebrochen. Er wirkte in seinem stylisch-grauen Yōji-Yamamoto-Anzug nur noch lächerlich. Und um Jahre gealtert.

»Wir können das Geld teilen«, sagte Fechner leise. »Es ist genug für uns alle da.«

»Wir wollen kein Geld«, sagte Büchler. »Wir wollen ein Geständnis.«

»Euer Geständnis, dass ihr René Walcha getötet habt.« Verstört grinsend hob Hartl mit beiden Fäusten die Axt und ging erneut auf das riesengroße Gemälde von Anselm Kiefer zu.

84

Der Dienstwagen hatte den Hof des Landeskriminalamtes verlassen, als Achim Lebeck sich meldete. Er gab Täubner die Koordinaten des Ortes durch, an dem Steffen Reifenberg sich aufhielt – der ehemalige Flakturm Schönholz. Während Irina den Wagen mit Blaulicht und Höchsttempo in Richtung Westpankow jagte, lehnte Nettelbeck sich auf der Rückbank zurück und wählte auf Täubners Smartphone erneut Philomenas Nummer. Doch es war immer noch besetzt. Nettelbeck versuchte es einige Male, dann gab er auf, konzentrierte sich auf den vor ihm liegenden Einsatz.

Der BMW hielt vor Fechners Trutzburg und die drei Ermittler stiegen aus. Sie betraten hintereinander das Gelände und gingen zum Eingang. Die Kommissare konnten nicht abschätzen, ob die Kamera ihre Ankunft bereits angekündigt hatte, mussten jedoch davon ausgehen. Täubner setzte den elektronischen Schließmechanismus am Eingang lahm und sie betraten den Flakturm. Leise schlichen sie durch das Treppenhaus. Als sie im ersten Stock Stimmen hörten, teilten sie sich auf und suchten im Halbdunkel Schutz hinter verschiedenen Säulen und Trennwänden.

Reifenberg und Fechner waren an düstere Skulpturen gefesselt, unfähig, sich zu bewegen. Büchler und Hartl standen drohend vor ihnen.

»Es hat doch keinen Sinn mehr, Steffen«, sagte der Kunst-sammler matt.

»Halt deinen Mund!«, schrie Reifenberg.

»Nein, ich kann nicht mehr ... René Walcha hat herausge-funden, dass die Bauinsolvenz von vornherein geplant war. Vor vier Monaten hat er sogar Jörg Grubes Aufenthaltsort entdeckt, meines ehemaligen Geschäftspartners.«

»Wo versteckt sich der denn?«

»In Manila. Er dachte, er sei dort sicher. Aber Walcha konnte ganz schön hartnäckig sein. Clever war er sowieso. Das habe ich selbst erlebt.«

»Inwiefern?«, fragte Büchler.

»René Walcha konnte mich als den eigentlichen Drahtzie-her identifizieren. Hat mir Grubes Geständnis vorgelegt, dass der bloß ein Strohmann war und gegen eineinhalb Mil-lionen Euro die ganze Aktion mit den verschwundenen Bankguthaben auf seine Kappe genommen hatte.«

»Und wie haben Sie darauf reagiert?«

Fechner warf einen Blick zu Reifenberg. »Ich ... ich habe ihm einen Deal angeboten. Rückzahlung des unterschlage-nen Geldes und eine bestimmte Information. Dafür sollte er mir im Gegenzug weitestgehende Straffreiheit zusichern.«

»Um was für eine Information ging es da?«

»Ich bot ihm den Namen eines hohen Kriminalbeamten an, der Straftäter gegen Bezahlung bei der Einstellung ihrer Verfahren behilflich war.«

»Du verkommenes Dreckschwein!«, rief Reifenberg wü-tend dazwischen.

»René Walcha fiel aus allen Wolken, als ich ihm den Na-men Reifenberg sagte. Seines guten alten Freundes.«

Hartl trat zu Steffen Reifenberg, hielt ihm die Schneide des Beils an den Hals. »Du hast zwei Menschen auf dem

Gewissen, du Ratte. Weißt du, was ich jetzt am liebsten tun möchte ...?«

»Nicht, Max. Lass!«, rief Büchler. »Wir wollen uns nicht mit Steffen auf eine Ebene setzen.« Er wandte sich an Reifenberg. »Ich kann mir schon vorstellen, wie es weiterging. René begann auf eigene Faust zu ermitteln und nahm Kontakt zu Gitte auf.«

»Ich habe ihn nicht eingeladen, meine Ehe zu zerstören«, sagte Reifenberg bitter. »Er war genauso ein Schwein wie jeder von uns vier hier. Mensch, nehmt euch ein paar Millionen und lasst uns die ganze Scheiße vergessen. Es wird sowieso keiner wieder lebendig werden. Macht es der alten Zeiten wegen. Bitte.«

»Der alten Zeiten wegen«, schnaubte Büchler. »Du bist ein Kretin!«

»Gitte hat sich in René verliebt«, nahm Hartl den Faden wieder auf. »Ist ja kein Wunder. Vermutlich hat sie ihm sogar ein paar entscheidende Hinweise geliefert. Und dann hat René dich während unserer Radtour zur Rede gestellt. Hat dir ein Ultimatum gesetzt.«

»Wollte dir wahrscheinlich noch die Möglichkeit geben, dich selbst zu stellen. Der alten Zeiten wegen. Und du Dreckschwein hast ihn erschossen.«

»Das hat er sich selbst zuzuschreiben. Er wollte mein Leben zerstören. Das wäre ihm ja auch fast gelungen. Überlegt euch die Sache mit den Millionen«, Steffen Reifenberg lachte zynisch. »Mit unseren Geständnissen könnt ihr sowieso nichts anfangen. Die sind unter Folter zustande gekommen und vor Gericht nicht verwertbar.«

Nettelbeck trat aus seiner Deckung hervor. »Da muss ich Sie korrigieren, Herr Reifenberg. Wie es der Zufall oder eine höhere Fügung will, haben wir alles mit angehört. Und das zählt durchaus vor Gericht. Dass die *Früchte des verbotenen Baumes* auch weiterhin geerntet werden dürfen, wird Ihnen allen ja wohl bekannt sein.«

Die vier Männer starrten Nettelbeck völlig entgeistert an.

Marius Fechner fing sich als Erster. »*Früchte des verbotenen Baumes*? ... Ich verstehe nicht. ... Was soll das heißen?«, stammelte er.

»Dass ein Beweis auch dann verwertet werden darf, wenn er auf scheinbar rechtswidrige Weise gewonnen wurde. Ein Gelegenheitsfund während einer Durchsuchung zum Beispiel«, sagte Nettelbeck. »Oder ein zufällig mitgehörtes Geständnis.«

»Macht das Schwein kalt«, schrie Reifenberg. »Schlagt ihn tot!«

Doch da ließen sich Irina und Täubner ebenfalls sehen.

»Besser nicht«, sagte Täubner und richtete seine Dienstwaffe auf Hartl. »Der Kollege hat nämlich völlig recht.«

Irina schwenkte ihre Waffe von Büchler auf Reifenberg: »Ich habe es sogar von Ihnen selbst gelernt, Herr Professor. Ihr Seminar *Relative und absolute Beweisverwertungsverbote im Strafprozess.* Sie erinnern sich?«

Reifenberg sagte gar nichts. Wenn schon mal was scheiße läuft, dachte er, dann aber auch gleich richtig. Doch diesmal hatte er das Gefühl, dass er aus der Sache nicht heil herauskommen würde.

85

Steffen Reifenberg und Marius Fechner saßen vor dem Flakbunker in verschiedenen Fahrzeugen, um in die Gefangenensammelstelle transportiert zu werden.

Kommissar Nettelbeck ging auf und ab, endlich telefonierte er mit Philomena. Er war unendlich froh, dass seine Ziehtochter freigekommen war. Er sprach auch kurz mit Efua Marie, doch beide waren viel zu aufgeregt, als dass etwas Vernünftiges dabei herauskam: Ich liebe dich, Efua Marie. – Ich dich auch, Papa. Schließlich beendete Philomena das Telefonat. Sie müsse noch unheimlich viel für die abendliche Familienfeier vorbereiten. »Welche Feier?«, fragte Nettelbeck, doch da hatte seine Freundin bereits aufgelegt.

Etwas abseits stand Roger Delbrück und unterhielt sich mit Lutz Büchler und Max Hartl. Als er sah, dass Nettelbeck das Telefonat beendet hatte, ließ Delbrück die beiden stehen und ging zu seinem Expartner.

»Gratulation, Martin. Endlich können wir die Sache abschließen. Ich nehme an, dass Büchler und Hartl aus dem Schneider sind, ja?«

»Wie meinst du das, Roger?«

»Sei nicht so begriffsstutzig. Ich meine es so, wie ich es gesagt habe. Die beiden haben ja nicht unerheblich zur Klärung des Falles beigetragen.«

»Das sehe ich etwas anders. Ich werde gegen die zwei ein Strafverfahren auf den Weg bringen.«

»Du machst Witze.«

»Nein, es ist mir ernst damit. Sie wollten die Geständnisse erpressen. Unter anderem durch Androhung von Folter.«

»Man kann aus einer Mücke auch einen Elefanten machen. Bleib auf dem Teppich.«

»Halt du dich lieber mal etwas bedeckt, Roger.«

»Und warum?«

»Weil ich sonst auch ein Disziplinarverfahren gegen dich einleiten werde.«

»Spinnst du? Weswegen denn? Weil ich mich für zwei verdiente Kollegen einsetze?«

»Nein, weil du ihnen Einblick in meine Vorgangsakte gegeben hast.«

Roger Delbrück musste schlucken. Dann grinste er. »Okay, du hast gewonnen. Geh nach Hause und kümmere dich um deine Familie.«

»Worauf du dich verlassen kannst.«

Nettelbeck drehte sich um und schlenderte davon.

Roger Delbrück schaute ihm nach und dachte, dass er froh sein konnte, mit Martin Nettelbeck befreundet zu sein. Denn als Feind wollte er diesen Mann nicht haben.

86

Samstagmorgen ohne Sorgen, dachte Philomena Baddoo und betrachtete lächelnd ihre Familie. Zu viert saßen sie in dem Unterrichtsraum und warteten auf den Posaunenlehrer. Die Musikschule in der Platanenallee verfügte über verschiedene Übungsinstrumente, die sie ihren Schülern gegen eine monatliche Gebühr so lange überließ, bis diese sich zum Kauf eines eigenen Musikinstrumentes entschlossen. Mark Kojo sollte es auch erst einmal auf diesem Weg versuchen. Wenn er richtig Feuer fing, würde man weitersehen. Der Junge war ziemlich aufgeregt und Martin Nettelbeck ging es nicht anders.

Am gestrigen Abend war es sehr spät geworden. Erst hatten sie mit Efua Marie eine Wiedersehensparty gefeiert. Mit knallbunten Softdrinks, Süßigkeiten, deren Geschmack und Aussehen Nettelbeck in Ratlosigkeit gestürzt hatten, und Bergen von Junkfood. Mit jeder Stunde wurde es turbulenter und beinah wäre die halbe Wohnungseinrichtung zu Bruch gegangen.

Als die Kinder endlich im Bett lagen, waren Nettelbeck und Philomena noch bis zum Morgengrauen auf dem Balkon sitzen geblieben, hatten geredet, geredet und geredet. Hinter ihnen lagen grauenvolle Tage, in denen sie die ganze Zeit um das Mädchen gebangt hatten. Für Nettelbeck war noch etwas anderes Bedrückendes hinzugekommen: diese Ohnmacht, die ihm die Grenzen seiner Arbeit aufgezeigt hatte, dieses Bewusstsein, nichts tun zu können.

Der Posaunenlehrer kam in den Unterrichtsraum. Er legte einen großen, ziemlich abgeschrammten Instrumentenkoffer auf den Tisch und klappte ihn auf. In dem mit dunkelblauem Samt ausgekleideten Inneren lag eine Tenorposaune, bestehend aus einem Korpus samt Schallbecher, dem Spielzug und einem großen Kesselmundstück.

»So, Mark Kojo, dein Vater hat dir ja schon gezeigt, wie man eine Posaune zusammenbaut. Willst du es gleich mal probieren?«

Der Junge nickte. Er nahm den Zug und den Korpus, verband beides geschickt miteinander.

»Sehr gut. Bei dem Mundstück müssen wir mal sehen, ob du damit klarkommst. Es ist vielleicht ein bisschen groß. Aber ich habe noch ein paar andere dabei.«

Nettelbeck griff in seine Tasche und holte ein Tuch heraus, in das ein versilbertes Mundstück gewickelt war.

»Damit habe ich angefangen. Es hat einen mitteltiefen Kessel und der Rand ist perfekt abgerundet.«

Der Kommissar reichte dem Posaunenlehrer das Mundstück und der betrachtete es interessiert.

»Ich kenne den Hersteller, er produziert leider nicht mehr. Man hat damit einen schönen Ansatz und einen sehr freien Ton. Ideal für Anfänger.« Er reichte das Mundstück an Mark Kojo weiter. »Versuche es doch mal.«

Mit einer leichten Drehung steckte der Junge das Mundstück in die Aufnahme am Spielzug.

Der Musiklehrer lächelte: »Dann leg mal los!«

Mark Kojo setzte die Posaune an, blies hinein, bekam aber keinen Ton heraus. Er versuchte es noch ein paarmal, doch so sehr er sich auch anstrengte, man hörte nur ein raues Krächzen. Frustriert ließ er das Instrument schließlich sinken.

Efua Marie nahm ihrem Bruder die Posaune ab, setzte sie an ihre Lippen, blies hinein und ...

... und ein etwas schriller Ton entwich dem Schallbecher, der aber eindeutig nach Posaune klang. Nur ganz entfernt erinnerte er auch an den Ton einer Bobbypfeife.

»Ist doch gar nicht schwer«, sagte die Kleine erstaunt, während ihr Bruder bedröppelt dreinschaute.

Martin Nettelbeck gab Mark Kojo einen kumpelhaften Knuff. »Bei mir hat das auch nicht sofort geklappt, Großer. Das wird schon.«

Der Kommissar zwinkerte dem Musiklehrer zu und der nickte mit breitem Grinsen.

»So ist es, Mark Kojo. Übung macht den Meister. Das kriegst du schon noch hin.«

Nettelbeck ging in die Hocke und legte beide Hände auf Efua Maries Schultern. Er schaute sie ernst an. »Du bist ein wunderbar tapferes Mädchen, Efua. Das habe ich in den letzten Tagen immer wieder gedacht.«

»Wirklich?«

»Die ganze Zeit, während du weg warst.«

»Ich habe auch an dich gedacht. Ich wusste, dass du mich nicht vergisst.«

»Das hast du?«

»Ja. Und als ich gepfiffen habe, sind deine Freunde sofort gekommen.«

»Ich habe dich sehr lieb, Efua.«

»Das weiß ich doch, Papa.«

Das kleine Mädchen schlang die Arme um Nettelbecks Hals und gab ihm einen Kuss auf die Wange. Der Kommissar verspürte einen dicken Kloß und er drückte Efua Marie fest an sich.

Philomena blickte zu den beiden, sagte aber nichts. Sie spürte, dass ihr Freund gerade von weit herkam, dass er sich erst an den Gedanken gewöhnen musste, nicht schuldig zu sein an dem, was ihre Tochter in den letzten Tagen durchgemacht hatte.

Als Nettelbeck hochsah und sie anlächelte, spürte Philomena, dass er gerade das Gleiche dachte. Und dieses Gefühl war einfach nur schön.

Danksagungen

Bei der Entstehung dieses Romans hat mich Helge Kain, Rechtsanwalt und Polizeibeamter a. D., von Anfang an begleitet und wie schon so oft zuvor in allen kriminalistischen und rechtlichen Fragen umfassend beraten. Geduldig, freundlich und unermüdlich, wie es seine Art ist. Und das zu wirklich jeder Tages- und Nachtzeit. Ihm gilt mein besonderer Dank, der mit jedem Buch größer wird.

Für die Genehmigung zum Abdruck des Gedichtes *Minikrimi für Rainer* danke ich dem Lyriker und bildenden Künstler Frantz Wittkamp, Ehrenpräsident der ›Vereinigung der Autoren, die alle Wittkamp heißen, aber nicht miteinander verwandt sind‹. Es ist mir eine Ehre, Frantz, dass wir beide nicht nur den Namen teilen.

Ich danke meinem Bruder Andreas Wittkamp für seine Beratung in immobilientechnischen Fragen.

Und natürlich danke ich wie immer allen Mitarbeitern des Grafit Verlages, die jedes Mal viel Energie und Hingabe in meine Bücher stecken.

Mehr mit Martin Nettelbeck

Rainer Wittkamp

Schneckenkönig

ISBN 978-3-89425-416-2
Auch als E-Book erhältlich

Der strafversetzte LKA-Kommissar Martin Nettelbeck bekommt eine Bewährungsprobe, als ein Ghanaer tot aufgefunden wird. Schon die Identifizierung der Leiche ist schwierig: In der afrikanischen Gemeinschaft will den Mann niemand gekannt haben.
Nettelbeck taucht ein in eine faszinierende Welt und stößt auf ein dubioses Missionswerk. Doch ihm sitzt die Zeit im Nacken – er muss Ergebnisse liefern, sonst droht ihm auf ewig ein Bürojob ...

»Cool ist ein überstrapaziertes Wort. Aber genau so schreibt Rainer Wittkamp. Saucool.« Buchjournal

Kalter Hund

ISBN 978-3-89425-430-8
Auch als E-Book erhältlich

Ausgezeichnet mit dem ›Krimi-Blitz‹!

Eine Hitzeglocke nimmt den Berlinern die Luft zum Atmen – und vier Menschen treffen Entscheidungen, die sie mit kühlem Kopf vielleicht nicht getroffen hätten. LKA-Ermittler Martin Nettelbeck hat Mühe, die Leichen einzusammeln ...

»Einer der besten deutschen Großstadt-Noirs der letzten Jahre, ohne Frage tolle Unterhaltung.« Ulrich Noller, WDR ›Piazza‹

Frettchenland

ISBN 978-3-89425-457-5
Auch als E-Book erhältlich

Politik und Nacktselfies: Eine Personenschützerin wird in der Staatskanzlei ermordet. LKA-Ermittler Martin Nettelbeck muss bei Ermittlungen im Berliner Regierungsviertel viel Fingerspitzengefühl beweisen.

»Das ist Berlin. Rainer Wittkamp bittet Volksvertreter und Staatsmacht zu einem mörderischen Tanz.«
Martin Schöne, 3sat ›Kulturzeit‹

Sie soll eine Marionette sein ...

Olaf R. Dahlmann

Das Recht des Geldes

ISBN 978-3-89425-467-4
Auch als E-Book erhältlich

Sie will nur ihren Job machen.
Doch sie soll eine Marionette sein.
Also beginnt sie ihr eigenes Spiel ...

Ein ermordeter Anwalt in Liechtenstein, verschwundene
Steuerdaten und ein handlungsunfähiger Chef: Katharina
Tenzer absolviert ihr Referendariat in der angesehenen
Hamburger Kanzlei Friedemann Hausner und soll unver-
hofft die Unternehmerfamilie Koppersberg gegenüber
der Steuerfahndung vertreten. Doch Hausner sagt seiner
jungen Mitarbeiterin nicht alles.

Als Katharina begreift, worum es wirklich geht, ist es
schon zu spät. Längst verfügt sie über Wissen, das sie
eigentlich nicht verheimlichen darf. Und das sie zum
nächsten Ziel des Mörders macht ...

**Der Handel mit Steuerdaten, riskante Selbstanzeigen
und die Folgen: hochspannend, topaktuell,
von einem Insider geschrieben**

grafit

Hat Ihnen dieses Buch gefallen und
möchten Sie wissen, wie es weitergeht?

Dann abonnieren Sie unseren Newsletter,
wir halten Sie auf dem Laufenden!

www.grafit.de